2025
年度版

中小企業診断士

最速合格
のための
第1次試験
過去問題集

② 財務・会計

TAC中小企業診断士講座

TAC出版
TAC PUBLISHING Group

は じ め に

　日本中小企業診断士協会連合会の発表によれば、令和6年度までの過去5年間の第
1次試験の各科目の「科目合格者」等の平均値は次のようになっています。

	科目受験者数（①）	科目合格者数（②）	科目合格率（①／②）
経済学・経済政策	15,086	2,371	15.7%
財務・会計	15,251	2,352	15.4%
企業経営理論	14,884	3,993	26.8%
運営管理（オペレーション・マネジメント）	15,033	2,484	16.5%
経営法務	14,959	2,786	18.6%
経営情報システム	14,704	2,373	16.1%
中小企業経営・中小企業政策	15,761	1,910	12.1%

　科目ごとに、科目合格者数および科目合格率は異なりますが、いずれにしても、
「科目合格者」の存在は、同時に「科目不合格者」を生じさせる結果となっています。

　初学者はもちろんのこと、不合格科目を残した受験経験者にとって、第1次試験の
合格を果たすには、各科目の出題傾向を把握し、その対策を立てるということが必要
となります。

　受験生の皆さんは、次の言葉を一度は耳にしたことがあると思います。

> 知彼知己者　百戦不殆（彼を知り己を知れば、百戦して殆からず）

　これは「孫子（謀攻篇）」にある名文句ですが、前段の「彼を知（り）る」ためには、
これまでの受験生が戦ってきた「過去問」を活用することが必要です。

　戦う相手を研究して熟知することは、スポーツや企業活動などの「戦いの場」では
当然必要だ、ということはよくご理解いただけると思います。これは試験においても
同様で、戦う相手である「試験委員」が作成した「問題」の研究は、勝つためには必
要不可欠な作業だと考えてください。

　また、「過去問」の活用目的として「己を知る」ということがあります。本試験の
出題傾向や内容は極端に変化するものではありません。ですから、受験生の皆さんが
常日頃取り組まれている学習の成果を測定するためのひとつの手段として「過去問」

を活用し、その成果をさらなる実力向上につなげていくことが必要であると理解してください。

　先程引用した「孫子」の名文句の後には「不知彼不知己　毎戰必殆（彼を知らず己を知らざれば、戦う毎に必ず殆し）」という文が続いています。受験生の皆さんが取り組む戦いでこのような事態にならないように、相手である「本試験（過去問）」をよく研究し、さらに、普段の学習成果の目安として「過去問」を役立てていただければ、本試験での「勝利」は間違いないと確信しています。

2024 年 10 月
ＴＡＣ中小企業診断士講座
講師室、事務局スタッフ一同

本書の利用方法

　本書には、過去 5 年分の第 1 次試験の問題と詳細な解説を収載しています。

1．本書の問題には、学習における目安として、以下のマークを付していますので、参考としてください。

　　★ 重要 ★　　基本的な論点だったり、過去に繰り返し出題されたりするなど、重要度の高い問題です。過去問はひと通り解くことが望ましいですが、時間的に余裕のない方は、このマークのある問題を優先的に解くとよいでしょう。

　　参考問題　　出題年度以降に法律や制度改正があり、正解肢が変わったり、なくなったりした問題等を示しています。これらの問題は、今年度の第 1 次試験対策としてふさわしくない問題となりますので、出題形式や出題論点を確認する程度の利用にとどめていただければよいでしょう。

2．各年度の解説の冒頭に、解答・配点・ＴＡＣ データリサーチによる正答率の一覧表を載せています。学習の際の参考としてください。

3．巻末に、「出題傾向分析表」を載せています。出題領域の区分は、弊社刊の「最速合格のためのスピードテキスト」の章立てに対応しているので、復習する際に便利です。

中小企業診断士 第1次試験
財務・会計

▶ 目 次 ◀

令和 6 年度問題

Questions

第1問

　以下の資料に基づき、当社が収益認識の基準として検収基準を用いている場合、当期の貸倒引当金繰入額として、最も適切なものを下記の解答群から選べ。

【資料】

(1)　前期に出荷し、当期に顧客が検収を行った商品はなかった。

(2)　当期に出荷し、当期の決算日後に顧客が検収を行った額は20,000円である。

(3)　仮に出荷基準を用いた場合、当期末の売掛金残高は150,000円となる。

(4)　検収の結果、返品された商品はないものとする。

(5)　当期の決算整理前残高試算表における貸倒引当金勘定の残高は1,000円である。

(6)　貸倒引当金の繰入率は2％とする。

［解答群］

ア　1,600円

イ　2,000円

ウ　2,600円

エ　3,000円

第2問　　　★重要★

　金銭債権・金銭債務や経過勘定項目に関する記述として、最も適切なものはどれか。

ア　一定の契約に従い、継続して役務の提供を受ける場合に、すでに提供された役務に対していまだその対価の支払いがなされていないものは、未払費用という。

イ　金銭債権が貸倒懸念債権に該当する場合、財務内容評価法により、貸倒見積高を算定しなければならない。

ウ　販売した自社商品の代金をいまだ受け取っていない場合に計上される勘定科目は、未収入金である。

エ　有形固定資産となる物品を購入し、その対価の支払いがなされていない場合に計上される勘定科目は、買掛金である。

3

第3問

「金融商品に関する会計基準」に関する記述として、最も適切なものはどれか。

ア　子会社株式については、連結財務諸表作成時に消去されるため、時価が著しく下落した場合であっても、個別財務諸表において評価損の計上を検討する必要はない。

イ　その他有価証券に該当する株式は、貸借対照表上、投資その他の資産に属する資産として表示する。

ウ　保有する有価証券のうち、時価をもって貸借対照表価額とするのは、売買目的有価証券と関連会社株式である。

エ　満期保有目的の債券に適用する償却原価法とは、債券を債券金額より低い価額または高い価額で取得した場合において、取得原価と債券金額との差額が金利の調整と認められる場合に、当該差額に相当する金額を償還期に至るまで毎期一定の方法で債券金額に加減する方法をいう。

第4問

「会社法」および「会社計算規則」における資本金の額等についての規定に関する記述として、最も適切なものはどれか。

ア　株式会社の資本金の額は、株主となる者が当該株式会社に対して払込みまたは給付をした財産の額とする。ただし、払込みまたは給付をした額の2分の1を超えない額は、資本金とせずに利益準備金とすることができる。

イ　自己株式の取得は、配当可能限度額に影響しない。

ウ　資本準備金は、資本金に組み入れるために取り崩すことが認められており、その場合には、資本準備金がマイナスになることも認められている。

エ　その他資本剰余金は、繰越利益剰余金のマイナスを補填するために取り崩すことが認められている。

第5問

従業員の給与の発生に関連して、法定福利費として計上するものとして、最も適切なものはどれか。

ア　厚生年金保険料の事業主負担額

イ　従業員の通勤定期代の事業主負担額

ウ　住宅手当

エ　住民税の特別徴収の額

第6問　★重要★

貸借対照表の表示に関する記述として、最も適切なものはどれか。

ア　貸倒引当金が売掛金と短期貸付金に対して計上される場合、これらの資産の控除項目として、一括して記載することができる。

イ　繰延税金資産は、一年基準によって分類して流動資産または固定資産として表示する。

ウ　資産除去債務は、関連する有形固定資産の控除項目として表示する。

エ　中古不動産を販売する業者が販売用に保有している土地および建物は、有形固定資産として表示する。

第7問　★重要★

以下の資料に基づき、営業活動によるキャッシュ・フローの計算として、最も適切なものを下記の解答群から選べ。

【資料】

(1)　当期の損益計算書（一部抜粋）は次のとおりである。なお、当期の減価償却費は30,000千円であり、当期の営業外収益・営業外費用、特別利益・特別損失はゼロとする。

損益計算書（一部抜粋）

（単位：千円）

売上高	1,000,000
営業利益	200,000
法人税、住民税及び事業税	60,000
当期純利益	140,000

(2)　前期末および当期末の貸借対照表（一部抜粋）は次のとおりである。

5

貸借対照表（一部抜粋）

（単位：千円）

	前期末	当期末
売掛金	50,000	46,000
棚卸資産	30,000	33,000
買掛金	35,000	36,200
未払法人税等	30,000	30,000

[解答群]

ア　112,200千円

イ　131,800千円

ウ　137,800千円

エ　172,200千円

第8問

「中小企業の会計に関する指針」に関する記述として、<u>最も不適切なもの</u>はどれか。

ア　「中小企業の会計に関する指針」では、一定の場合には法人税法で定める処理を会計処理として適用できるとしている。

イ　「中小企業の会計に関する指針」では、会計情報の役割として、利害調整に資することよりも投資家の意思決定に資することが重視されている。

ウ　「中小企業の会計に関する指針」は、中小企業が、計算書類の作成に当たり、拠ることが望ましい会計処理や注記等を示すものである。

エ　金融商品取引法の適用を受ける会社並びにその子会社及び関連会社は、「中小企業の会計に関する指針」の適用対象外である。

第9問

法人税に関する記述として、最も適切なものはどれか。

ア　内国法人の各事業年度開始の日前5年以内に開始した事業年度において生じた欠損金額があっても、その欠損金額は、当事業年度の損金の額に算入することができない。

問

題

6
年
度

イ　内国法人の各事業年度の所得の金額は、その事業年度の収益の額からその事業年度の所得控除の額を控除した金額である。

ウ　内国法人は、納税地の所轄税務署長の承認を受けた場合には、確定申告書を青色の申告書により提出することができる。

エ　法人税の税率は、売上高や総資産、資本金とは無関係に定められている。

第10問　★ 重要 ★

　以下の資料に基づき、原価に関する記述として、最も適切なものを下記の解答群から選べ。

【資料】

製造指図書No.	7月に生じた原価	8月に生じた原価	9月に生じた原価	備考
No. 110	450,000 円	－	－	7月1日製造開始。 7月30日完成。 8月10日引渡。
No. 120	420,000 円	200,000 円	－	7月15日製造開始。 8月5日完成。 8月20日引渡。
No. 130	－	500,000 円	－	8月5日製造開始。 8月25日完成。 8月30日引渡。
No. 140	－	400,000 円	－	8月10日製造開始。 8月30日完成。 9月5日引渡。
No. 150	－	360,000 円	190,000 円	8月20日製造開始。 9月10日完成。 9月15日引渡。

［解答群］

ア　8月に増加した売上原価は1,070,000円である。

イ　8月末の仕掛品は760,000円である。

ウ　8月末の製品は400,000円である。

エ　9月に増加した売上原価は550,000円である。

7

当期末に、新たに長期借入（借入後60カ月にわたって元利均等弁済）を行い、その資金全額で無形固定資産を購入したとする。他の条件を一定とするとき、この取引による財務諸表および財務指標への影響に関する記述として、最も適切なものはどれか。

ア　1年内返済予定長期借入金が増えるので、流動比率は低下する。

イ　借入と投資が相殺されるので、投資活動によるキャッシュ・フローおよび財務活動によるキャッシュ・フローには影響しない。

ウ　固定資産が増加するため、固定比率は改善する。

エ　自己資本には影響しないため、自己資本比率は変化しない。

次の文章を読んで、下記の設問に答えよ。

当社は、当期の実績に基づいて次期の利益計画を策定している。当期の実績データは以下の資料のとおりである。

【資料】

売上高	@1,000円×30,000個＝30,000,000円
変動製造原価	@550円×30,000個＝16,500,000円
変動販売費	@50円×30,000個＝ 1,500,000円
固定製造原価	6,000,000円
固定販売費及び一般管理費	3,000,000円

設問1 ● ● ●

損益分岐点売上高として、最も適切なものはどれか。なお、計算の結果が割り切れない場合には、小数第1位を四捨五入すること。

ア　13,333,333円

イ　15,000,000円

ウ　22,500,000円

エ　27,000,000円

設問2 ••••

目標とする1個当たり営業利益150円を達成する販売量として、最も適切なものはどれか。なお、計算の結果が割り切れない場合には、小数第1位を四捨五入すること。

ア　20,000個
イ　22,500個
ウ　30,000個
エ　36,000個

第13問　　★重要★

資金調達に関する記述として、最も適切なものはどれか。

ア　株式分割と当座借越は、短期資金調達であり、内部金融に分類される。
イ　企業間信用とコマーシャルペーパーは、短期資金調達であり、外部金融に分類される。
ウ　減価償却費とファイナンス・リースは、長期資金調達であり、外部金融に分類される。
エ　増資と留保利益は、長期資金調達であり、内部金融に分類される。

第14問

A社の負債コストは2%、時価基準の負債比率（負債÷自己資本）は0.25、WACC（加重平均資本コスト）は6.28%である。A社の自己資本コストに含まれるリスクプレミアムとして、最も適切なものはどれか。なお、リスクフリー・レートは1%、法人税等の実効税率は30%である。

ア　6.5%
イ　6.9%
ウ　7.5%
エ　7.9%

毎期一定額の配当を支払う場合と比べた、業績連動型の配当政策に関する記述として、最も適切なものはどれか。

ア　毎期の配当性向の変動は大きくなり、1株当たり配当額の変動も大きくなる。

イ　毎期の配当性向の変動は大きくなり、1株当たり配当額は安定する。

ウ　毎期の配当性向は安定し、1株当たり配当額の変動は大きくなる。

エ　毎期の配当性向は安定し、1株当たり配当額も安定する。

第16問

次の文章の空欄A〜Dに入る語句の組み合わせとして、最も適切なものを下記の解答群から選べ。

株式分割によって1株当たり株主価値は　A　。なぜなら、株式分割によって発行済み株式数は増加するが、株主の持分割合は　B　、また、株式分割は企業の資産内容やキャッシュ・フローに影響を　C　ため、株主の富が　D　からである。

```
［解答群］
ア　A：減少する　　B：減少し　　　C：与える　　D：減少する
イ　A：減少する　　B：変化せず　　C：与えない　D：変化しない
ウ　A：増加する　　B：変化せず　　C：与える　　D：増加する
エ　A：変化しない　B：減少し　　　C：与えない　D：減少する
```

第17問　　★重要★

B社は、800百万円の初期投資を伴う投資案の実施を検討している。この事業を実施すれば、当期以降永続的に100百万円のキャッシュフローが毎期末に発生すると予想される。

この投資案に対する内部収益率法による採否と正味現在価値法による採否の組み合わせとして、最も適切なものはどれか。なお、資本コストは10%とする。

ア　内部収益率法：採択　　　　正味現在価値法：採択

イ　内部収益率法：採択　　　　正味現在価値法：不採択

ウ　内部収益率法：不採択　　　正味現在価値法：採択

エ　内部収益率法：不採択　　　正味現在価値法：不採択

第18問　★重要★

投資プロジェクトの経済性評価に関する記述として、最も適切なものはどれか。

ア　過去に購入した施設をプロジェクトに利用する場合、当該施設への過去の支出は、投資プロジェクトの評価において考慮してはならない。

イ　既存機械を売却して新型機械を導入するプロジェクトの評価において、既存機械の売却見積額を考慮してはならない。

ウ　現在未利用の施設をプロジェクトに利用する場合、他に賃貸した場合の賃貸料収入は、投資プロジェクトの評価において考慮してはならない。

エ　新製品プロジェクトにおいて、既存製品から新製品に顧客が移る、すなわち、「乗り換え」の影響を考慮してはならない。

第19問

以下の図は、縦軸に投資の期待収益率、横軸に当該投資収益率の標準偏差をとった平面上に、効率的フロンティア、資本市場線、ある投資家の無差別曲線を描いたものである。そして、点Aは縦軸と横軸の交点、点Bは縦軸と資本市場線の交点、点Cはこの投資家の無差別曲線と資本市場線の接点、点Dは効率的フロンティアと資本市場線の接点である。

この投資家の保有するポートフォリオのリスクプレミアムに関する記述として、最も適切なものを下記の解答群から選べ。

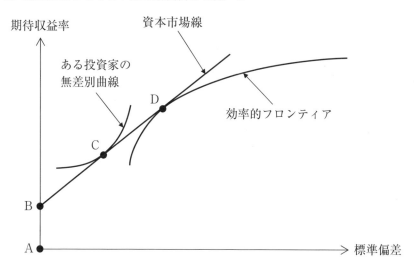

第20問

　以下の図は、縦軸に投資の期待収益率、横軸に当該投資収益率の標準偏差をとった平面上に、資産Aから資産Dのそれぞれのリスクとリターンをプロットしたものである。

　リスク中立的な投資家が保有する際に最も望ましいと考えられる資産として、最も適切なものを下記の解答群から選べ。

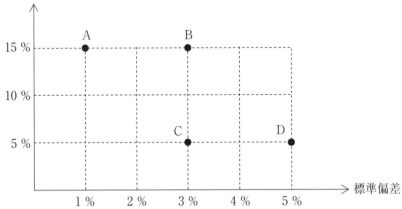

12

[解答群]
ア 資産A
イ 資産Aと資産B
ウ 資産Bと資産C
エ 資産Cと資産D
オ 資産D

第21問

　C社の当期首の自己資本は3,000万円である。また、負債による資金調達を行っておらず、今後、外部からの資金調達を行わない予定である。当期のROEは5％、当期の配当性向は40％、株主の要求収益率は5％であり、これらは毎期一定とする。

　C社の当期のサステナブル成長率と当期末の配当支払後の株主価値の組み合わせとして、最も適切なものはどれか。なお、本問において、当期のROEは当期純利益を当期首の自己資本で除した値であり、配当は毎期末に支払われるものとする。

ア　サステナブル成長率：2％　　株主価値：3,060万円
イ　サステナブル成長率：2％　　株主価値：3,090万円
ウ　サステナブル成長率：3％　　株主価値：3,060万円
エ　サステナブル成長率：3％　　株主価値：3,090万円

第22問

　D社の第11期期首において、第11期から第13期までのフリー・キャッシュフローは毎期末200百万円の定額であり、それ以降のフリー・キャッシュフローの成長率は毎期4％で一定と予測されている。

　このとき、第14期以降のフリー・キャッシュフローの第11期期首における現在価値として、最も適切なものを下記の解答群から選べ。ただし、計算の結果が割り切れない場合には、小数第1位を四捨五入すること。なお、資本コストは8％であり、その複利現価係数と年金現価係数は以下のとおりである。

年	複利現価係数	年金現価係数
2 年	0.857	1.783
3 年	0.794	2.577
4 年	0.735	3.312

[解答群]

ア　3,675百万円

イ　3,822百万円

ウ　3,970百万円

エ　4,129百万円

第23問

　次の文章の空欄A〜Cに入る語句の組み合わせとして、最も適切なものを下記の解答群から選べ。

　乗数法（マルチプル法）は、主力事業が類似している上場企業の乗数として、PER（株価収益率）や企業価値EBITDA倍率などを用いて企業や事業の価値を算定する手法であり、　A　に分類される。乗数法は、　B　に分類されるDCF法（割引キャッシュフロー法）による評価をチェックしたり、簡便的に評価額を求める目的で用いられる。

　企業価値EBITDA倍率は、企業や事業の価値評価でよく用いられる乗数である。企業価値EBITDA倍率の分子の企業価値は、有利子負債総額と株式時価総額の合計から現金・預金を差し引いて計算されることが多い。また、分母のEBITDAは利払前・税引前・償却前の利益であり、簡便的には　C　に減価償却費を加えて計算されるので、資本構成の影響を受けない。乗数法に分類される類似会社比較法では、対象企業と類似した複数の上場企業の企業価値EBITDA倍率を算出し、その平均倍率に対象企業のEBITDAを掛けて、対象企業の評価額を算定する。

[解答群]

ア　A：コストアプローチ　　　B：インカムアプローチ　　　C：経常利益

イ　A：コストアプローチ　　　B：マーケットアプローチ　　　C：営業利益

ウ　A：マーケットアプローチ　B：インカムアプローチ　　　C：営業利益

エ　A：マーケットアプローチ　B：コストアプローチ　　　　C：経常利益

14

第24問　★ 重要 ★

次の通貨オプションに関する文章の空欄A〜Cに入る語句の組み合わせとして、最も適切なものを下記の解答群から選べ。

現時点の為替相場（直物）は1ドル130円である。ドル建てで商品の仕入代金1,200ドルを支払う予定の企業が、決済日に1ドル132円で1,200ドルを買うことができる通貨オプションを購入し、その対価としてオプション料100円を支払う。当該企業はイン・ザ・マネーであれば権利を行使するので、たとえば決済日の為替相場（直物）が　A　のときには権利を行使し、　B　のときには権利を行使しない。決済日の為替相場（直物）が　A　のときに権利行使した場合、通貨オプションを購入しなかった場合に比べて総額の円支出は　C　少なくなる。

[解答群]
ア　A：129円　　B：135円　　C：3,500円
イ　A：129円　　B：135円　　C：3,700円
ウ　A：135円　　B：129円　　C：3,500円
エ　A：135円　　B：129円　　C：3,700円

令和 **6** 年度
解答・解説

nswers

問題	解答	配点	正答率※	問題	解答	配点	正答率※	問題	解答	配点	正答率※
第1問	ア	4	C	第10問	ウ	4	B	第18問	ア	4	B
第2問	ア	4	C	第11問	ア	4	C	第19問	イ	4	E
第3問	イ	4	C	第12問 (設問1)	ウ	4	A	第20問	イ	4	D
第4問	エ	4	C	第12問 (設問2)	エ	4	B	第21問	エ	4	D
第5問	ア	4	B	第13問	イ	4	B	第22問	エ	4	D
第6問	ア	4	C	第14問	ア	4	D	第23問	ウ	4	A
第7問	エ	4	B	第15問	ウ	4	C	第24問	ウ	4	B
第8問	イ	4	B	第16問	イ	4	B				
第9問	ウ	4	C	第17問	ア	4	B				

※TACデータリサーチによる正答率
　正答率の高かったものから順に、A～Eの5段階で表示。
A：正答率80％以上　　　　　B：正答率60％以上80％未満　　　C：正答率40％以上60％未満
D：正答率20％以上40％未満　E：正答率20％未満

解答・配点は一般社団法人日本中小企業診断士協会連合会の発表に基づくものです。

令和6年度の難易度は令和5年度に比べてやや難しい。出題領域別に見ると、制度会計、管理会計、ファイナンスからオーソドックスに出題されており、基礎的な知識があれば十分に対応可能な問題が多かった。しかし、複数の学習分野に渡る横断的な論点からの出題が増加しているため、解答に時間がかかる構成になっていた。総合的に見れば、各学習論点を上辺だけでなく、きっちりと整理整頓して身につけられていたか、そして、それをいかに素早く引き出して対応できたかが得点獲得において重要であったと考えられる。

令和7年度の対策は、次のとおりである。管理会計は、従来から出題されている領域が繰り返し問われる傾向が強いため、過去問題を中心とした対策が有効である。また、ファイナンスについては、未学習項目は少なく、過去問題を中心とした学習を進めることで十分に対応可能である。一方、制度会計は、ファイナンスや管理会計と比較して、出題される領域のバラツキが大きい。したがって、基礎的な問題を得点できる力を身に付ければ十分である。本科目は、領域が多岐にわたるため、頻出・基礎的な領域を優先的に身に付けることが得策である。また、全体的なこととしては、基礎的な知識を試験問題に適用できるような対応力を問題演習等で磨き上げておく必要がある。

第1問

収益認識の基準および貸倒引当金繰入額に関する問題である。

売上収益は、原則として販売の事実にもとづき計上する。この考え方を販売基準という。そのうえで、具体的に、どのような事実をもって「販売」と考えるかが問題となる。代表的なものとして出荷基準、引渡基準、検収基準がある。

・出荷基準

　商品の出荷（発送）という事実にもとづき売上を計上する基準である。

・引渡基準

　商品が得意先に到着した時点で売上を計上する基準である。

・検収基準

　得意先に商品が到着した後、得意先における検収の終了をもって売上を計上する基準である。

このうち、本問では出荷基準と検収基準が問われている。

本文中の(2)および(3)より、当期に出荷して出荷基準を用いた場合の売掛金150,000

円のうち、当期中に検収しているものが130,000円であり、当期の決算日後に検収したものが20,000円であると読み取れる。

したがって、検収基準を用いた場合の当期末の売掛金残高は130,000円となる。

次に、(5)および(6)より、当期の貸倒引当金繰入額は次のとおり計算される。

貸倒見積高：130,000円 × 2 ％ = 2,600円

貸倒引当金繰入額：2,600円 − 1,000円（貸倒引当金残高）= **1,600円**

よって、**ア**が正解である。

第2問

金銭債権・金銭債務、経過勘定項目に関する問題である。各経過勘定の意義や金融債権・金融債務の表示についておさえておきたい。

ア ○：正しい。すでに役務の提供を受けているが対価の支払いがなされていないため、決算整理前には何も計上されていないことになる。そこで、決算整理にあたり、当期に係る費用を計上するとともに未払費用を計上する。

イ ✕：貸倒懸念債権とは、経営破綻の状態には至っていないが、債務の弁済に重大な問題が生じているか、または生じる可能性の高い債務者に対する債権をいう。貸倒見積高の算定は債権の区分ごとに定められているが貸倒懸念債権においては、財務内容評価法もしくはキャッシュ・フロー見積法により算定する。

ウ ✕：主たる営業取引（商品販売など）の未収額は、**売掛金**を用いる。

エ ✕：主たる営業取引以外の取引から生じる未払額は、**未払金**を用いる。

よって、**ア**が正解である。

第3問

「金融商品に関する会計基準」に関する問題である。有価証券は保有目的により4つに分類され、その保有目的別に表示科目や期末評価などが規定されている。

保有目的	表示科目	B/S表示区分	期末評価	評価差額の取扱い
売買目的	有価証券	流動資産	時価	営業外損益
満期保有目的	投資有価証券※	固定資産	取得原価又は償却原価	―
子会社・関連会社	関係会社株式	固定資産	取得原価	―
その他	投資有価証券※	固定資産	時価	純資産

※ 1年以内に満期の到来する社債は、有価証券として流動資産に区分される。

ア ✕：子会社株式は取得原価をもって貸借対照表価額とするが、子会社株式の時価

20

が著しく下落したときは、回復する見込みがあると認められる場合を除き、時価を
もって貸借対照表価額とし、**評価差額は当期の損失として処理を行う**。

イ ○：正しい。選択肢のとおりである。

ウ ×：時価をもって貸借対照表価額とするのは、売買目的有価証券と**その他有価証
券**である。

エ ×：満期保有目的の債券に適用する償却原価法とは、債券を債券金額より低い価
額または高い価額で取得した場合において、取得原価と債券金額との差額が金利の
調整と認められる場合に、当該差額に相当する金額を償還期に至るまで毎期一定の
方法で**帳簿価額**に加減する方法をいう。

　よって、**イ**が正解である。

第4問

「会社法」および「会社計算規則」における資本金の額等についての規定に関する
問題である。

ア ×：株式会社の資本金の額は、株主となる者が当該株式会社に対して払込みまた
は給付をした財産の額とする。ただし、払込みまたは給付をした額の2分の1を超
えない額は、資本金とせずに**資本準備金**とすることができる。

イ ×：分配可能額の計算では、剰余金から自己株式の帳簿価額を控除するため、自
己株式の取得は、**配当可能限度額を減少させる**ことになる。

ウ ×：資本準備金を資本金に組み入れることは可能である。ただし、その場合には、
**準備金の額を超えて組み入れることはできない（マイナスになることは認められて
いない）**。

エ ○：正しい。企業会計上、その他資本剰余金（資本剰余金）の繰越利益剰余金（利
益剰余金）への振替は、企業会計原則で禁じられている資本と利益の混同に当たる
ため、原則として認められていない。しかし、繰越利益剰余金（利益剰余金）の額
がマイナスである場合には、そのマイナスの範囲内でその他資本剰余金から繰越利
益剰余金（利益剰余金）に振り替えることは、資本と利益の混同に当たらないと解
されており認められている。

　よって、**エ**が正解である。

第5問

法定福利費に関する問題である。

労務費の分類においてどのように支払われたかによって、次のような分類がある。

賃金：工員に対して支払われる給与。

給料：工場の事務職員や監督者などに対して支払われる給与。

従業員賞与手当：工員や事務職員などの従業員に支払われる賞与や手当。なお、ここでいう手当とは、作業に直接関係のない手当（住宅手当や通勤手当など）のことをいう。

退職給付引当金繰入額（退職給付費用）：従業員に支給される退職金に備えて費用計上される金額。

法定福利費：従業員の社会保険料のうち会社が負担する金額。

ア　○：正しい。法定福利費に該当する。

イ　✕：通勤定期代（通勤手当）は、**従業員賞与手当**に該当する。

ウ　✕：住宅手当は、**従業員賞与手当**に該当する。

エ　✕：住民税の特別徴収とは、事業主が従業員の給与から住民税相当額を天引きし従業員本人に代わって事業主が支払う方法をいう。ここで給与から差し引いた住民税は、事業主側がいったんこれを預かるので、**預り金**として処理する。

よって、**ア**が正解である。

第6問

貸借対照表の表示に関する問題である。

ア　○：正しい。一括控除形式を採用した場合には、選択肢のとおり記載される。

イ　✕：繰延税金資産は、**投資その他の資産**の区分に表示する。

ウ　✕：資産除去債務の会計処理は、**資産除去債務の全額を負債**として計上し、同額を有形固定資産の取得原価に反映する。

エ　✕：販売業者が販売用に保有しているものであるため、正常営業循環基準により**商品（流動項目）**とされる。

よって、**ア**が正解である。

第7問

営業活動によるキャッシュ・フローに関する問題である。

営業活動によるキャッシュ・フローの計算（間接法）を記すと次のとおりである。

（単位：千円）

税引前当期純利益	200,000	←	P/L より
減価償却費	30,000	←	問題文より
売上債権の減少額	4,000	←	B/S（当期末 − 前期末）より
棚卸資産の増加額	△ 3,000	←	B/S（当期末 − 前期末）より
仕入債務の増加額	1,200	←	B/S（当期末 − 前期末）より
小　計	232,200		
法人税等の支払額	△ 60,000	←	P/L より ※未払法人税等は増減がない
営業活動による キャッシュ・フロー	172,200		

よって、**エ**が正解である。

第8問

中小企業の会計に関する指針に関する問題である。

中小企業の会計に関する指針（以下、本指針）は、中小企業が計算書類の作成に当たり、拠ることが望ましい会計処理や注記等を示すものである。

ア　○：正しい。本指針は、もっぱら中小企業のための規範として活用するため、コスト・ベネフィットの観点から、会計処理の簡便化や法人税法で規定する処理の適用が一定の場合に認められる。

イ　✕：投資家をはじめ会計情報の利用者が限られる中小企業において、投資の意思決定に対する役立ちを重視する会計基準を一律に強制適用することが、コスト・ベネフィットの観点から必ずしも適切とは言えない場合がある。本指針では、この点を考慮しているため、**投資家の意思決定に資することが重視されているとは言えない**。

ウ　○：正しい。そのため、中小企業は、本指針に拠り計算書類を作成することが推奨されている。

エ　○：正しい。本指針の適用対象は、(1)金融商品取引法の適用を受ける会社並びにその子会社及び関連会社、(2)会計監査人を設置する会社及びその子会社を除く株式会社である。

よって、**イ**が正解である。

第9問

法人税に関する問題である。

ア　✕：内国法人の各事業年度開始の日前5年以内に開始した事業年度において生じた欠損金額は、**当該事業年度の損金の額に算入することができる**。なお、法人税法

では、「内国法人の各事業年度開始の日前10年以内に開始した事業年度において生じた欠損金額がある場合には、当該欠損金額に相当する金額は、当該各事業年度の所得の金額の計算上、損金の額に算入する」と規定している。

イ ×：法人税法では、「内国法人の各事業年度の所得の金額は、その事業年度の益金の額からその事業年度の**損金の額**を控除した金額とする」と規定している。

ウ ○：正しい。法人税法では、「内国法人は、納税地の所轄税務署長の承認を受けた場合には、確定申告書を青色の申告書により提出することができる」と規定している。

エ ×：法人税の税率は、法人の種類や資本金の規模、所得金額によって定められている。

よって、**ウ**が正解である。

第10問

原価に関する問題である。3か月間の原価および製造、完成、引渡の流れが与えられているため、それを正確に読み取って対応する必要がある。

ア ×：8月に売れた（引渡した）のはNo.110、No.120、No.130であるため、それらにかかる原価を集計するとNo.110（450,000円）＋No.120（420,000円＋200,000円）＋No.130（500,000円）＝**1,570,000円**が8月に増加した売上原価である。

イ ×：8月末までに製造を開始しており、かつ完成していないのはNo.150のみであるため、No.150の8月に生じた**360,000円**が8月末の仕掛品である。

ウ ○：正しい。8月末に完成しており、かつ売れていない（引渡していない）のはNo.140のみであるため、No.140の原価である400,000円が8月末の製品である。

エ ×：9月に売れた（引渡した）のはNo.140、No.150であるため、それらにかかる原価を集計するとNo.140（400,000円）＋No.150（360,000円＋190,000円）＝**950,000円**が9月に増加した売上原価である。

よって、**ウ**が正解である。

第11問

経営分析に関する問題である。新たな借入を行い、その資金全額で無形固定資産を購入した場合の財務諸表および財務指標への影響が問われている。

この取引の仕訳は次のとおりである。

・長期借入を行った。

（借）現 金 ・ 預 金	×××	（貸）長 期 借 入 金	×××

・長期借入した資金で無形固定資産を購入した。

| （借）無 形 固 定 資 産 | ×××　 | （貸）現 金 ・ 預 金 | ××× |

・長期借入金の1年内返済予定長期借入金への振替

| （借）長 期 借 入 金 | ×××　 | （貸）1年内返済予定長期借入金 | ××× |

以上より、無形固定資産、1年内返済予定長期借入金（流動負債）、長期借入期（固定負債）および総資本が増加することがわかる。

ア　○：正しい。流動比率は「流動資産÷流動負債×100（％）」で計算される。分子の流動資産は一定である一方で、分母の流動負債は増加するため、流動比率は低下する。

イ　×：借入と投資が相殺される場合であっても、無形固定資産の取得による支出や借入による収入などを**各活動によるキャッシュ・フローとして記載する**（影響しないということはない）。

ウ　×：固定比率は「固定資産÷自己資本×100（％）」で計算される。また、数値は低い方が良好な状態を表す。分子の固定資産は増加する一方で、分母の自己資本は一定であるため、数値は増加する。そのため、**固定比率は悪化する**。

エ　×：自己資本比率は「自己資本÷総資本（総資産）×100（％）」で計算される。分子の自己資本は変わらないが、分母の総資本は増加するため、**自己資本比率は低下する**。

よって、**ア**が正解である。

第12問

損益分岐点分析に関する問題である。

設問1 ●●●

損益分岐点売上高が問われている。「$S-aS-FC=P$」より計算すると次のとおりである。

変動費率（a）：$(16,500,000+1,500,000)÷30,000,000=0.6$

もしくは

$(550+50)÷1,000=0.6$

固定費（FC）：$6,000,000+3,000,000=9,000,000$円

したがって、

$S-0.6S-9,000,000=0$　　∴　$S=22,500,000$円

よって、**ウ**が正解である。

目標営業利益150円/個を達成する販売量が問われている。

販売量をxとすると次のとおりである。

$1,000x - 600x - 9,000,000 = 150x$

$250x = 9,000,000$ ∴ $x = 36,000$個

よって、**エ**が正解である。

第13問

　資金調達に関する問題である。企業の資金調達は、資金調達源泉が企業外部か内部にあるかで分類される。外部金融は、企業外部を資金調達源泉とするため、外部資金調達ともいい、企業間信用（買掛金・支払手形）、間接金融、直接金融がある。間接金融は、金融機関などを通じて間接的に資金調達する形態であり、直接金融は、資本市場を通じて社債発行、株式発行等により資金調達する形態である。一方、内部金融は、企業自らの資本運用による成果であり、狭義には利益留保のみであるが、広義には減価償却費も含まれる。

ア ✕：株式分割は、資本金を変えず1株を複数の株式に分割し、発行済株式数を増加するものである。**株式分割は、新たに資金調達をするわけではない**。一方、当座借越は、定期預金などを担保として、普通預金の口座残高が不足した場合に自動的に借入ができるものであり、短期の資金調達手段となる（「短期借入金」として表示する）。

イ 〇：正しい。企業間信用とコマーシャルペーパーは、短期資金調達であり、外部金融に分類される。

ウ ✕：ファイナンス・リースは、外部金融に分類されるが、**減価償却費は、内部金融に分類される**。

エ ✕：留保利益は、内部金融に分類されるが、**増資は、外部金融に分類される**。

よって、**イ**が正解である。

第14問

　加重平均資本コストに関する問題である。

① 加重平均資本コストから逆算して、自己資本コストを求める。題意より、負債比率（負債÷自己資本）が0.25であるため、負債を1とすれば、自己資本は4となる。

貸借対照表

	負債	1 (1/5)	(1/5) × 2 ％ × (1 − 0.3)
	自己資本	4 (4/5)	(4/5) ×自己資本コスト

よって、

加重平均資本コスト = (1/5) × 2 ％ × (1 − 0.3) + (4/5) ×自己資本コスト = 6.28%

が成り立つ。

(1/5) × 1.4 + (4/5) ×自己資本コスト = 6.28

(1.4 + 4自己資本コスト)/5 = 6.28

(1.4 + 4自己資本コスト) = 6.28 × 5 （→31.4）

∴ 自己資本コスト = (31.4 − 1.4)/4 = 7.5 （％）

② 自己資本コストに含まれるリスクプレミアムを求める。自己資本コストは、リスクフリー・レートとリスクプレミアムの合計であるため、

自己資本コスト = リスクフリー・レート 1 ％ + リスクプレミアム = 7.5%

が成り立つ。

したがって、自己資本コストに含まれるリスクプレミアム = 7.5 − 1 = **6.5** （%） となる。

よって、**ア**が正解である。

第15問

業績連動型の配当政策に関する問題である。毎期一定額の配当を支払う場合に比べた、業績連動型の配当政策が問われている。なお、配当性向は、次の計算式により求めることができる。

$$配当性向 = \frac{1株当たり配当金額}{1株当たり当期純利益}$$

業績連動型の配当政策における毎期の配当性向の変動は、1株当たり当期純利益の変動に応じて、1株当たり配当金額も変動するため、安定することになる。

ア ✗：前半が不適切である。業績連動型の配当政策における毎期の配当性向の変動は**安定する**。また、後半であるが、1株当たり配当額の変動が大きくなる点は適切である。

イ ✗：前述のとおり、前半および後半も不適切である。

ウ 〇：正しい。毎期の配当性向は安定し、1株当たり配当額の変動は大きくなる。

エ ✗：前述のとおり、前半は適切であるが、後半が不適切である。

よって、**ウ**が正解である。

株式分割に関する問題である。株式分割とは、発行済株式を分割することにより、会社の純資産額を変化させることなく発行済株式総数を増加させることをいい、既存の株主に対して新株を無償で交付することになる。株式分割を行うと理論上、1株当たりの株主価値が**減少する（空欄A）**ため、株式の市場価格が高いときに、市場価格を引き下げることにより流通性を高め、株主に対して利益を還元する目的などで行われる。株式分割は、発行済株式数が増加するが、株主の持分割合は**変化しない（変化せず）（空欄B）**。

たとえば、従来の株数を1とした場合、仮に株数を1から2に分割した際、株数が2倍になるが、理論上、1株当たりの株主価値が半分になる（減少する）。また、すべての株主の持ち株数が均等に増加するために株主の持分割合は変化せず、企業の資産内容やキャッシュ・フローに影響を**与えない（空欄C）**ため、株主の富（資産価値）も**変化しない（空欄D）**。

よって、「空欄A：減少する」「空欄B：変化せず」「空欄C：与えない」「空欄D：変化しない」の組み合わせが正しく、**イ**が正解である。

内部収益率法（IRR）と正味現在価値法（NPV）に関する問題である。

●内部収益率による採択

　　内部収益率法とは、投資によって生じる年々の正味キャッシュフローの現在価値合計と、投資額（の現在価値）とが、等しくなる割引率（正味現在価値がゼロとなる割引率）を求め、内部収益率が大きな投資案ほど有利と判定する方法である。

　　NPV＝キャッシュフロー100÷割引率r－初期投資800＝0

　　∴　割引率r＝100÷800＝0.125（12.5％）

　　よって、正味現在価値がゼロとなる割引率、すなわちIRR（12.5％）が資本コスト10％よりも大きいため、**本投資案は採択**となる。

●正味現在価値法による採択

　　正味現在価値法とは、投資によって生じる年々の正味キャッシュフローを割り引いた現在価値合計から、投資額を差し引いて、その投資案の正味現在価値を計算し、正味現在価値のより大きな投資案を有利と判定する方法をいう。

　　NPV＝キャッシュフロー100÷資本コスト0.1（10％）－初期投資800＝200（百万円）＞0

　　よって、正味現在価値がゼロよりも大きいため、**本投資案は採択**となる。

以上より、「内部収益率：採択」「正味現在価値法：採択」の組み合わせが正しく、

アが正解である。

第18問

投資プロジェクトの経済性評価に関する問題である。

ア ○：正しい。埋没原価（過去原価）のことである。埋没原価は、すでに使ってしまった費用であり、投資プロジェクトを採用してもしなくても戻ってこない。したがって、投資プロジェクトの採否の意思決定には無関係であり、投資決定の際のキャッシュフローには考慮してはならない。

イ ×：既存機械の売却見積額を考慮しなければならない。機会原価（逸失利益）のことである。機会原価は、ある事業投資を選択することによって、別の事業機会を失うような場合、失った方の事業から得られる収益が該当する。

ウ ×：選択肢イのとおり、考慮しなければならない。

エ ×：選択肢イのとおり、考慮しなければならない。新製品プロジェクトによって、既存製品のキャッシュフローが減少する場合、減少するキャッシュフローは新製品プロジェクトのキャッシュフローに反映させる。

よって、**ア**が正解である。

ポートフォリオのリスクプレミアムに関する問題である。投資家の保有するポートフォリオのリスクプレミアムが問われている（市場リスクプレミアムが問われているわけではない）。

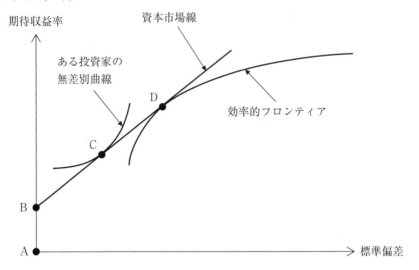

ア ✗：点Aと点Dの期待収益率の差の絶対値は、**市場ポートフォリオの期待収益率**を示している。

イ ◯：正しい。点Bと点Cの期待収益率の差の絶対値は、この投資家の保有するポートフォリオのリスクプレミアを示している。点Cは、この投資家の無差別曲線と資本市場線が接する点であり、この投資家の最適なポートフォリオを示している。

ウ ✗：点Bと点Dの期待収益率の差の絶対値は、**市場ポートフォリオのリスクプレミアム（市場ポートフォリオの期待収益率－リスクフリー・レート）**を示している。

エ ✗：点Cと点Dの期待収益率の差の絶対値は、**市場ポートフォリオの期待収益率とこの投資家の保有するポートフォリオの期待収益率の差**を示している。

よって、**イ**が正解である。

リスク中立的な投資家の無差別曲線に関する問題である。投資家のリスクに対する態度は3つのタイプに分類される。

① リスク回避型：資産額の期待値が同じであれば、資産額のばらつき（リスク）の小さいほうを選択する。

② リスク中立型：資産額の期待値のみに関心があり、資産額の期待値が同じであれば、資産額のばらつき（リスク）の大小に関わらず同程度に選択する。

③ リスク追求型：資産額の期待値が同じであれば、資産額のばらつき（リスク）の大きいほうを選択する。

3タイプの無差別曲線は次のように描かれる。

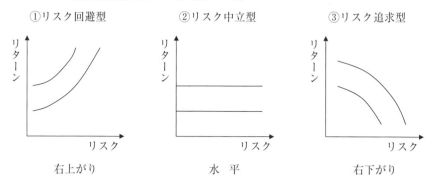

①リスク回避型　　　②リスク中立型　　　③リスク追求型

　　右上がり　　　　　　　水　平　　　　　　　右下がり

リスク中立的な投資家は、リスクの大小にかかわらずリターンの高い方が効用が高い。すなわち、上方に位置する無差別曲線の効用が、より高くなる。したがって、**資産Aと資産Bを保有するのが最も望ましい**。

よって、**イ**が正解である。

第21問

サステナブル成長率と株主価値に関する問題である。配当割引モデルにおける定率成長モデルの計算式は、次のとおりである。なお、配当割引モデルの配当成長率に、サステナブル成長率が用いられる。

$$株主価値 = \frac{1年後（次期）の配当金}{株主資本コスト - 配当成長率}$$

① サステナブル成長率

　　サステナブル成長率とは、ROEと配当性向が一定であるとき、企業が外部資金を調達せずに、内部留保のみを事業に投資して達成できる当期純利益および配当の成長率のことである。

　　サステナブル成長率＝ROE×（1－配当性向）＝5％×（1－0.4）＝**3％（0.03）**

② 株主価値（配当割引モデルによる資産価値計算）

　　ROE＝当期純利益÷当期首の自己資本3,000＝5％（0.05）

　　よって、当期純利益＝3,000×0.05＝150（万円）

　　当期の配当性向40％＝当期の配当金÷当期純利益150

よって、当期の配当金＝150×0.4＝60（万円）

株主価値＝1年後（次期）の配当金（60×1.03）÷（0.05−0.03）

＝**3,090**（万円）

よって、「サステナブル成長率：3％」、「株主価値：3,090万円」の組み合わせが正しく、**エ**が正解である。

第22問

継続価値に関する問題である。第14期以降のフリー・キャッシュフロー（FCF）の第11期期首における現在価値が問われている。まず、第13期末における継続価値を求め、次に当該継続価値を第11期期首に割り引くことになる。

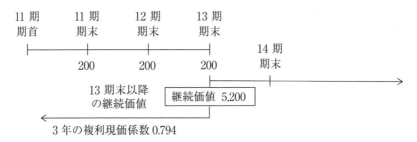

第13期末における継続価値＝1年後（第14期末）のFCF÷（資本コスト−成長率）

＝200×（1+0.04）÷（0.08−0.04）＝5,200（百万円）

したがって、

第11期期首における現在価値＝5,200×3年の複利現価係数0.794

＝4,128.8＝**4,129**（百万円）

となる。

よって、**エ**が正解である。

第23問

企業価値の評価方法に関する問題である。企業評価額（株主価値）の計算方法として、過去の蓄積を基礎とするコストアプローチ、将来の収益性を基礎とするインカムアプローチ、実際の売買市場（マーケット）で成立している類似企業の株価を基礎とするマーケットアプローチの3種類がある。

アプローチ	評価方法
コストアプローチ	純資産額法（修正簿価法等）
インカムアプローチ（空欄B）	収益還元法 DCF法（割引キャッシュフロー法）
マーケットアプローチ（空欄A）	株式市価法 類似業種比準方式（マルチプル法）

また、企業価値EBITDA倍率は、企業価値がEBITDA※の何倍であるか表す指標である。ある企業を買収した場合に、買収資金を回収するのにEBITDAで何年かかるかを示す値でもある。企業価値EBITDA倍率の計算式は次のとおりである。

企業価値EBITDA倍率＝企業価値（有利子負債総額＋株式時価総額－現金預金）

÷EBITDA（営業利益＋減価償却費）

なお、EBITDAは、簡便的に**営業利益（空欄C）**に減価償却費を加えて計算するため、資本構成（負債と自己資本の構成）の影響を受けない。

※（Earnings Before Interest Taxes Depreciation and Amortization：利払前・税引前・減価償却費控除前の利益）

よって、「A：マーケットアプローチ」、「B：インカムアプローチ」、「C：営業利益」の組み合わせが正しく、**ウ**が正解である。

第24問

通貨オプションに関する問題である。本問は、輸入企業の設定である。決済日に1ドル132円で1,200ドルを買うことができる通貨オプションを購入する（買う権利であるため、コール・オプションとなる）。すなわち、1ドルを132円で買うことができる権利を有することになる。

●空欄A・B

当該企業はイン・ザ・マネーであれば権利行使する。空欄Aには、決済日の為替相場（直物）が129円、135円のいずれかが該当する。1ドルを権利行使価格132円で買うことができるため、決済日の為替相場（直物）が1ドル**135円（空欄A）**とすれば、1ドル当たり3円の支出が少なくなるため、権利行使をすることになる。一方、1ドル**129円（空欄B）**のときには、1ドルを決済日の為替相場（直物）129円で買うことができるため、権利行使をしない。

●空欄C

決済日の為替相場（直物）が135円（空欄A）のときに権利行使した場合、通貨オプションを購入しなかった場合に比べ、総額の円支出はいくら少なくなるかが問われている。

・通貨オプションを購入しなかった場合の円支出

　総額1,200ドル×135円／ドル＝162,000（円）

・通貨オプションを購入して権利行使をした場合の円支出

　総額1,200ドル×132円／ドル＋オプション料100円＝158,500（円）

　したがって、158,500円－162,000円＝△3,500（円）となる。

　よって、「A：135円」、「B：129円」、「C：3,500円」の組み合わせが正しく、**ウ**が正解である。

令和 5 年度問題

uestions

第1問

7月における商品Aの取引は以下のとおりである。7月の売上原価として、最も適切なものを下記の解答群から選べ。ただし、払出単価の計算には移動平均法を採用している。

日付	摘要	数量	単価
7月1日	前月繰越	10個	100円
7月12日	仕入	30個	120円
7月15日	売上	20個	270円
7月25日	仕入	20個	160円
7月31日	次月繰越	40個	(記載省略)

［解答群］
ア　2,200円
イ　2,300円
ウ　2,400円
エ　2,600円

第2問

以下の一連の取引の仕訳として、最も適切なものを下記の解答群から選べ。

8/12　当社は、得意先との間で、25,000円の商品Bと35,000円の商品Cを販売する契約を締結した。合計の代金60,000円は、商品Bと商品Cの両方を引き渡した後に請求することになっている。また、商品Bと商品Cの引き渡しは、それぞれ独立した履行義務である。商品Bについては、契約を締結した後、直ちに得意先に引き渡した。

8/25　商品Cを得意先に引き渡した。当社は、商品Bと商品Cの代金に対する請求書を送付する予定である。

[解答群]

ア 8/12 （借）契約資産 25,000 （貸）売 上 25,000
　 8/25 （借）売掛金 60,000 （貸）契約資産 25,000
　 　 　 　 　 　 売 上 35,000
イ 8/12 （借）契約資産 25,000 （貸）契約負債 25,000
　 8/25 （借）売掛金 60,000 （貸）売 上 60,000
　 　 　 契約負債 25,000 　 契約資産 25,000
ウ 8/12 （借）契約資産 60,000 （貸）売 上 60,000
　 8/25 （借）売掛金 60,000 （貸）契約資産 60,000
エ 8/12 （借）契約資産 60,000 （貸）売 上 25,000
　 　 　 　 　 　 契約負債 35,000
　 8/25 （借）売掛金 60,000 （貸）契約資産 60,000
　 　 　 契約負債 35,000 　 売 上 35,000

第3問

当社は、Ｘ１年度期首に機械（取得原価300,000円、耐用年数５年）を購入し、200％定率法により減価償却を行っている。保証率は0.10800、改定償却率は0.500である。Ｘ４年度における減価償却費として、最も適切なものはどれか。

ア 18,750円
イ 25,920円
ウ 30,000円
エ 32,400円

第4問

連結会計に関する記述として、最も適切なものはどれか。

ア 親会社による子会社株式の所有割合が100％に満たない場合、連結貸借対照表の負債の部に非支配株主持分が計上される。
イ 子会社の決算日と連結決算日の差異が３か月を超えない場合は、子会社の正規の決算を基礎として連結決算を行うことができる。
ウ 負ののれんは、連結貸借対照表に固定負債として計上する。
エ 連結子会社の当期純損益に株式の所有割合を乗じた額は、持分法による投資損益

として連結損益計算書に計上する。

第5問

　会社法における計算書類の作成、開示に関する記述として、最も適切なものはどれか。

ア　計算書類とは、貸借対照表、損益計算書、キャッシュ・フロー計算書および株主資本等変動計算書のことである。
イ　子会社を有するすべての株式会社は、連結計算書類を作成しなければならない。
ウ　すべての株式会社は、各事業年度に係る計算書類を作成しなければならない。
エ　すべての株式会社は、定時株主総会の終結後遅滞なく、貸借対照表と損益計算書を公告しなければならない。

第6問

　当期の税引前当期純利益は800,000円であった。ただし、受取配当金の益金不算入額が24,000円、交際費の損金不算入額が36,000円ある。また、前期末に設定した貸倒引当金10,000円が損金不算入となったが、当期において損金算入が認められた。法人税率を20%とするとき、当期の損益計算書に計上される法人税として、最も適切なものはどれか。

ア　158,000円
イ　160,400円
ウ　162,000円
エ　164,400円

第7問

　剰余金の配当と処分に関する記述として、最も適切なものはどれか。

ア　株式会社は、1事業年度につき、中間配当と期末配当の最大2回の配当を行うことができる。
イ　株式会社は、資本剰余金を原資とする配当を行うことはできない。
ウ　取締役会設置会社は、取締役会の決議によって中間配当を実施することができる旨を定款で定めることができる。
エ　役員賞与を支払う場合、その10分の1の額を利益準備金として積み立てなければ

ならない。

貸借対照表の表示に関する記述として、最も適切なものはどれか。

ア　売掛金は、代金が回収されるまでの期間の長短にかかわらず流動資産に分類される。

イ　株式は、その保有目的にかかわらず流動資産に分類される。

ウ　棚卸資産は、決算日の翌日から起算して1年以内に販売されるものは流動資産に、1年を超えるものは固定資産に分類される。

エ　長期借入金は、時の経過により、返済期日が決算日の翌日から起算して1年以内となっても、固定負債に分類される。

キャッシュ・フロー計算書に関する記述として、最も適切なものはどれか。

ア　間接法によるキャッシュ・フロー計算書では、棚卸資産の増加額は営業活動によるキャッシュ・フローの増加要因として表示される。

イ　資金の範囲には定期預金は含まれない。

ウ　支払利息は、営業活動によるキャッシュ・フローの区分で表示する方法と財務活動によるキャッシュ・フローの区分で表示する方法の2つが認められている。

エ　有形固定資産の売却による収入は、財務活動によるキャッシュ・フローの区分で表示される。

当工場の以下の資料に基づき、平均法による月末仕掛品原価として、最も適切なものを下記の解答群から選べ。なお、材料は工程の始点ですべて投入されており、減損は工程の終点で発生している。また、月末仕掛品原価の計算は度外視法によるものとする。

【資料】

(1) 当月の生産量

月初仕掛品	200kg	（50％）
当月投入	400kg	
合　計	600kg	
正常減損	100kg	（100％）
月末仕掛品	200kg	（50％）
当月完成品	300kg	

※カッコ内は加工進捗度である。

(2) 当月の原価

	直接材料費	加工費
月初仕掛品	30,000 円	18,000 円
当月投入	120,000 円	84,000 円
合　計	150,000 円	102,000 円

[解答群]

ア　70,400円

イ　81,000円

ウ　85,500円

エ　108,000円

第11問　★重要★

余剰現金の使途として、新規の設備の購入（D案）と長期借入金の返済（E案）を比較検討している。他の条件を一定とすると、D案とE案の財務諸表および財務比率への影響に関する記述として、最も適切なものはどれか。

ア　固定長期適合率は、D案では悪化するが、E案では改善する。

イ　自己資本比率は、D案では不変であるが、E案では改善する。

ウ　総資産は、D案、E案ともに不変である。

エ　流動比率は、D案では悪化するが、E案では改善する。

41

当社とその競合会社であるF社に関する以下の資料に基づき、下記の設問に答えよ。ただし、金額の単位は万円とする。

【資料】

	当社	F社
資産合計	64,000	86,000
有形固定資産合計	16,000	20,000
売上高	48,000	112,000
付加価値	12,000	22,400
うち人件費	7,800	16,800
従業員数	20人	40人

設問1 ● ● ●

当社の付加価値率として、最も適切なものはどれか。

ア　20%

イ　25%

ウ　65%

エ　75%

設問2 ● ● ●

当社とF社の生産性に関する記述として、最も適切なものはどれか。

ア　労働生産性はF社が上回っているが、その要因は設備生産性が当社のそれを上回っていることにある。

イ　労働生産性はF社が上回っているが、その要因は労働装備率が当社のそれを上回っていることにある。

ウ　労働生産性は当社が上回っているが、その要因は設備生産性がF社のそれを上回っていることにある。

エ　労働生産性は当社が上回っているが、その要因は労働装備率がF社のそれを上回っていることにある。

　運転資金管理のための財務指標であるキャッシュ・コンバージョン・サイクルに関する記述として、最も適切なものはどれか。

ア　売上債権回転率が低くなると、キャッシュ・コンバージョン・サイクルは短くなる。

イ　キャッシュ・コンバージョン・サイクルは、マイナスの値になることはない。

ウ　仕入債務回転期間が短くなると、キャッシュ・コンバージョン・サイクルは短くなる。

エ　棚卸資産回転期間が短くなると、キャッシュ・コンバージョン・サイクルは短くなる。

第14問　　★重要★

　Z社の期首自己資本は3,000万円である。また、ROEは5％、配当性向は40％、発行済株式数は20万株である。Z社の当期の1株当たり配当として、最も適切なものはどれか。ただし、本問において、ROEは当期純利益を期首自己資本で除した値とする。

ア　2円

イ　3円

ウ　4円

エ　5円

第15問

　次の文章を読んで、下記の設問に答えよ。

　現在、Y社は総資本10億円（時価ベース）の全額を自己資本で調達して事業活動を行っており、総資本営業利益率は10％である。また、ここでの営業利益は税引前当期純利益に等しく、また同時に税引前キャッシュフローにも等しいものとする。Y社は今後の事業活動において、負債による調達と自己株式の買い入れによって総資本額を変えずに負債と自己資本との割合（資本構成）を1：1に変化させることを検討しており、その影響について議論している。

　税金が存在しない場合、Y社が資本構成を変化させたとき、ROEの値として、最も適切なものはどれか。ただし、負債利子率は3％であり、資本構成の変化によって総資本営業利益率は変化しないものとする。

ア　13％

イ　13.5％

ウ　17％

エ　17.5％

　モジリアーニ・ミラー理論において法人税のみが存在する場合、Y社が資本構成を変化させることで、企業全体の価値に対する影響として、最も適切なものはどれか。ただし、法人税率は20％とする。

ア　企業価値が1億円減少する。

イ　企業価値が1億円増加する。

ウ　企業価値が4億円減少する。

エ　企業価値が4億円増加する。

第16問

　次の文章の空欄A～Cに入る語句の組み合わせとして、最も適切なものを下記の解答群から選べ。

　100万円のコストで製造した機械装置1台に対して、G社とH社の2社から、これを購入したい旨の引き合いがあった。G社は120万円、H社は130万円の価格を提示している。どちらかに販売すると他方を断らなければならないため、　A　はG社に販売したときは130万円、H社に販売したときは120万円である。100万円の支出原価は、どちらを選択しても変化しないため、　B　と呼ばれる。それに対して、　A　はどちらを選ぶかによって変化するため、　C　と呼ばれる。

[解答群]

ア　A：機会原価　　B：固定原価　　C：変動原価

イ　A：機会原価　　B：埋没原価　　C：関連原価

ウ　A：限界原価　　B：固定原価　　C：変動原価

エ　A：限界原価　　B：埋没原価　　C：関連原価

第17問

　以下の、リスクの異なるH事業部とL事業部を持つ多角化企業に関する資料に基づいて、H事業部に属する投資案（H案）とL事業部に属する投資案（L案）の投資評価を行ったとき、最も適切なものを下記の解答群から選べ。ただし、この多角化企業は借り入れを行っていない。

【資料】

H 案の内部収益率（IRR）	10％
L 案の内部収益率（IRR）	7％
リスクフリー・レート	2％
H 事業部の資本コスト	11％
L 事業部の資本コスト	5％
全社的加重平均資本コスト（WACC）	8％

[解答群]

ア　H案、L案ともに棄却される。

イ　H案、L案ともに採択される。

ウ　H案は棄却され、L案は採択される。

エ　H案は採択され、L案は棄却される。

第18問　　★重要★

　ポートフォリオ理論に関する記述として、最も適切なものはどれか。ただし、リスク資産の間の相関係数は1未満であり、投資比率は正とする。

ア　2つのリスク資産からなるポートフォリオのリスク（リターンの標準偏差）は、ポートフォリオを構成する各資産のリスクを投資比率で加重平均した値である。

イ　2つのリスク資産からなるポートフォリオのリターンは、ポートフォリオを構成する各資産のリターンを投資比率で加重平均した値である。

ウ　2つのリスク資産からポートフォリオを作成するとき、両資産のリターン間の相関係数が大きいほど、リスク低減効果は顕著となる。

エ　安全資産とリスク資産からなるポートフォリオのリスク（リターンの標準偏差）は、リスク資産への投資比率に反比例する。

第19問

効率的市場仮説（セミストロング型）に関する記述として、最も適切なものはどれか。

ア　インサイダー取引によっても、市場の期待を上回る過大なリターンを獲得できない。

イ　市場価格は公に入手可能な情報を反映する。

ウ　市場価格は規則的に変動する。

エ　すべての証券の将来の価格は確実に予測できる。

第20問　★ 重要 ★

以下のデータに基づいて、A社の株主価値を割引キャッシュフローモデルに従って計算したとき、最も適切なものを下記の解答群から選べ。ただし、これらの数値は毎年3％ずつ増加する。また、A社には現在も今後も負債がなく、株主の要求収益率は6％である。

【A社の次期の予測データ】

（単位：万円）

税引後純利益	1,200
減価償却費	300
設備投資額	500
正味運転資本増加額	100

[解答群]

ア　15,000万円

イ　30,000万円

ウ　35,000万円

エ　70,000万円

第21問

　サステナブル成長率に関する記述として、最も適切なものはどれか。ただし、ROEおよび配当性向は毎期一定とする。

ア　企業が毎期の純利益の全額を配当する場合、サステナブル成長率はリスクフリー・レートに一致する。

イ　サステナブル成長率は、ROEに配当性向を乗じることで求められる。

ウ　サステナブル成長率は、事業環境に左右されるが、内部留保率には左右されない。

エ　サステナブル成長率は、配当割引モデルにおける配当成長率として用いることができる。

第22問

　市場リスクに関する記述として、最も適切な組み合わせを下記の解答群から選べ。

a　外貨建取引の場合に、為替レートの変動で損益が生じるリスク

b　貸付先の財務状況の悪化などにより、貸付金の価値が減少ないし消失し、損害を被るリスク

c　債券を売却するときに、金利変動に伴って債券の市場価格が変動するリスク

d　市場取引において需給がマッチしないために売買が成立しなかったり、資金繰りに失敗するリスク

[解答群]

ア　aとb

イ　aとc

ウ　aとd

エ　bとc

オ　bとd

第23問　★ 重要 ★

次の文章の空欄AとBに入る語句の組み合わせとして、最も適切なものを下記の解答群から選べ。ただし、手数料、金利などは考えないこととする。

現在の為替相場（直物）は1ドル130円である。3か月後にドル建てで商品の仕入代金1万ドルを支払う予定の企業が、1ドル131円で1万ドルを買う為替予約（3か月後の受け渡し）を行うとする。このとき、3か月後の為替相場（直物）が134円になると、為替予約をしなかった場合に比べて円支出は　A　。他方、3か月後の為替相場（直物）が125円になると、為替予約をしなかった場合に比べて円支出は　B　。

[解答群]

ア　A：3万円多くなる　　　B：6万円少なくなる

イ　A：3万円少なくなる　　B：6万円多くなる

ウ　A：4万円多くなる　　　B：5万円少なくなる

エ　A：4万円少なくなる　　B：5万円多くなる

令和 5 年度
解答・解説

nswers

問題	解答	配点	正答率※	問題	解答	配点	正答率※	問題	解答	配点	正答率※
第1問	イ	4	C	第10問	ア	4	C	第17問	ウ	4	C
第2問	ア	4	D	第11問	イ	4	B	第18問	イ	4	B
第3問	エ	4	D	第12問 (設問1)	イ	4	A	第19問	イ	4	B
第4問	イ	4	D	第12問 (設問2)	エ	4	B	第20問	イ	4	B
第5問	ウ	4	B	第13問	エ	4	C	第21問	エ	4	C
第6問	イ	4	D	第14問	イ	4	A	第22問	イ	4	B
第7問	ウ	4	B	第15問 (設問1)	ウ	4	B	第23問	イ	4	B
第8問	ア	4	B	第15問 (設問2)	イ	4	B				
第9問	ウ	4	B	第16問	イ	4	D				

※TACデータリサーチによる正答率

正答率の高かったものから順に、A～Eの5段階で表示。
A：正答率80%以上　　　B：正答率60%以上80%未満　　　C：正答率40%以上60%未満
D：正答率20%以上40%未満　　　E：正答率20%未満

解答・配点は一般社団法人日本中小企業診断士協会連合会の発表に基づくものです。

第1問

　売上原価に関する問題である。払出単価の計算において移動平均法を採用している設定である。

　移動平均法とは、単価の異なる商品を受け入れたつど、平均単価を計算し、それを次の払出単価とする方法である（移動平均法の「移動」とは「仕入のつど（状態が変わるたびに）」という意味である）。計算式は次のとおりである。

　平均単価＝（仕入前の残高金額＋仕入（受入）金額）÷（仕入前の残高数量＋仕入（受入）数量）

　本問では、7月12日に仕入れたときに次のように平均単価を計算する。

　仕入前の残高金額：10個×100円＝1,000円

　仕入金額：30個×120円＝3,600円

　平均単価：（1,000円＋3,600円）÷（10個＋30個）＝115円

　次に、7月の売上は15日のみであるため、この時の売上原価を計算すれば7月の売上原価が把握される。

　売上原価：115円×20個＝**2,300円**

　よって、**イ**が正解である。

第2問

　収益の認識基準に関する問題である。これまで、売上等の収益に関する規定は、企業会計原則における「実現主義の原則」という考え方にもとづいて計上されてきた。しかし、さまざまなビジネスモデルが存在する現在となっては、「実現主義の原則」だけでは対応が難しくなったことから「収益認識に関する会計基準」が定められた。収益認識の基本原則としては、顧客との契約から生じる収益について、約束した財またはサービスの顧客への移転を、その財またはサービスと交換に企業が権利を得ると見込む対価の額で描写するように収益を認識することを要請している。

　顧客から対価を受け取る前または受け取る期限が到来する前に、財またはサービスを顧客に移転した場合には、収益を認識し、「顧客との契約から生じた債権[1]」または「契約資産[2]」を貸借対照表に計上する。この際の仕訳が問われている。

　　※1：顧客との契約から生じた債権とは、企業が顧客に移転した財またはサービスと交換に受け取る対価に対する企業の権利のうち無条件のもの（すなわち、対価に対する法的な請求権）をいう。当該債権は貸借対照表上、売掛金など

として表示する。

※2：契約資産とは、企業が顧客に移転した財またはサービスと交換に受け取る対価に対する企業の権利（ただし、顧客との契約から生じた債権を除く）をいう。

　企業が顧客に移転した商品またはサービスと交換に受け取る対価に対する企業の権利について、支払義務が発生しているもの（法的請求権があるもの）は顧客との契約から生じた債権とし、支払義務が発生していないもの（法的請求権がないもの）は契約資産とするとおさえると良い。

⑴　商品Bの引き渡し時（8/12）

　　商品Bについて売上の計上を行う。ただし、対価の請求については、商品Bと商品Cの両方を引き渡した後というのが条件であるため、顧客との契約から生じた債権では処理せず、契約資産として処理する（単位：円）。

| （借）契　約　資　産 | 25,000 | （貸）売　　　　　上 | 25,000 |

⑵　商品Cの引き渡し時（8/25）

　　商品Bと商品Cの両方の引き渡しが完了したため、顧客との契約から生じた債権（売掛金）で処理し、商品Cについて売上の計上を行う（単位：円）。

| （借）売　　掛　　金 | 60,000 | （貸）契　約　資　産 | 25,000 |
| | | 売　　　　　上 | 35,000 |

よって、**ア**が正解である。

第3問

　減価償却費に関する問題である。200％定率法が問われている。

　200％定率法の償却率および均等償却への切り替えについてみていく。

＜償却率＞

　200％定率法では、「定額法の償却率を2倍した率」をその償却率として使用する。

　したがって、本設備の償却率は以下のとおりである。

　　定額法の償却率：1÷5年＝0.2

　　定率法の償却率：0.2×2＝0.4

＜均等償却への切り替え＞

　200％定率法は残存価額をゼロとする定率法であるが、この方法による計算では、必ず一定の金額が帳簿価額として残るため、耐用年数到来時まで償却しても帳簿価額をゼロとすることができない。そこで、「本来の計算により求めた減価償却費」が「償却保証額」を下回る年度からは、残存耐用年数による均等償却に切り替える。

また、この切り替えのタイミングを決定し、切り替え後の減価償却費を算定するため、耐用年数ごとの「保証率（償却保証額を算定するための率）」と「改定償却率（切り替え後の減価償却費を算定するための率）」が用意されている。

　計算方法としては、定率償却額（期首帳簿価額×償却率）と償却保証額（取得原価×保証率）を比較して、定率償却額が大きい場合には定率償却額、償却保証額が大きい場合には改定取得原価×改定償却率を以降の期に計上していく（均等償却を行っていく）。なお、改定取得原価とは、最初に「定率償却額＜償却保証額」となった会計期間の期首帳簿価額のことである。

　以上より、毎年の減価償却費は以下のとおり計算される。

●償却保証額

　300,000×0.10800＝32,400円

●定率法償却率

　上記より、0.4

●1年目

　期首帳簿価額×定率法償却率を計算する。

　300,000×0.4＝120,000円

　償却保証額を上回っているため、1年目の減価償却費は120,000円となる。

●2年目

　期首帳簿価額×定率法償却率を計算する。

　（300,000－120,000）×0.4＝72,000円

　償却保証額を上回っているため、2年目の減価償却費は72,000円となる。

●3年目

　期首帳簿価額×定率法償却率を計算する。

　（300,000－120,000－72,000）×0.4＝43,200円

　償却保証額を上回っているため、3年目の減価償却費は43,200円となる。

●4年目

　期首帳簿価額×定率法償却率を計算する。

　（300,000－120,000－72,000－43,200）×0.4＝25,920円

　償却保証額を下回っているため、均等償却（償却保証額）に切り替える。

　4年目の減価償却費：（300,000－120,000－72,000－43,200）×0.500＝32,400円

　よって、**エ**が正解である。

連結会計についての問題である。連結財務諸表は、親会社、子会社の個別財務諸表をベースに作成する。個別財務諸表を合算した上で連結特有の調整を行い、連結財務諸表が作成される。

ア ✗：親会社による子会社株式の所有割合が100%に満たない場合、連結貸借対照表の**純資産の部**に非支配株主持分が計上される。

イ 〇：正しい。子会社の決算日と連結決算日の差異が3か月を超えない場合には、子会社の正規の決算を基礎として連結決算を行うことができる。この場合には、決算日が異なることから生じる連結会社間の取引に係る会計記録の重要な不一致（未達取引）について、必要な整理を行う。

ウ ✗：負ののれんは、**負ののれんが生じた事業年度の利益**として処理する（損益計算書の特別利益）。

エ ✗：持分法とは、投資会社が被投資会社の純資産および損益のうち投資会社に帰属する部分の変動に応じて、その投資額を連結決算日ごとに修正する方法をいう。連結の場合には、個別財務諸表の合算が前提とされているが、持分法の場合には、個別財務諸表の合算は前提としない。持分法では持分法適用仕訳だけが行われ、持分法適用会社の純資産および損益に対する投資会社の持分相当額を連結財務諸表に反映させていく。親会社が支配している会社は連結の対象となるが、支配しているとまではいえないが、十分な影響力を与えている会社は連結から外されてしまう。それでは、企業集団全体の経営成績や財政状態を表示することはできないので、「**非連結子会社や関連会社**に対する投資勘定について、持分法が適用される。

よって、**イ**が正解である。

会社法における計算書類の作成、開示に関する問題である。

ア ✗：計算書類とは、貸借対照表、損益計算書、株主資本等変動計算書、個別注記表のことであり、**キャッシュ・フロー計算書は含まれない**。

イ ✗：支配が一時的であると認められる子会社や利害関係者の判断を著しく誤らせるおそれのある子会社は連結の範囲から除外されるため、子会社を有するすべての株式会社は、連結計算書類を作成しなければならないとは言えない。

ウ 〇：正しい。株式会社は、決算にあたり、事業内容と財産を明らかにするため、各事業年度に係る計算書類および事業報告ならびにこれらの附属明細書（＝計算書類等）を作成し10年間保存（事業報告を除く）しなければならない。

エ ✗：株式会社は、定時株主総会の終結後遅滞なく、**貸借対照表を公告しなければ**

ならない。なお、大会社では、貸借対照表および損益計算書を公告しなければならない。

よって、**ウ**が正解である。

第6問

　法人税に関する問題である。当期の損益計算書に計上される法人税の計算（税務調整）が問われている。法人税は、税引前当期純利益に税務調整（加算・減算調整）後の課税所得を計算し、その課税所得に法人税率を乗じて計算する。問題文には3つの調整項目が与えられている。

No	項目	内　　容	調整
①	受取配当金の益金不算入	法人が内国法人から配当等を受けた場合には、その受取配当等の額は、課税所得の計算上益金に算入しない。	減算調整
②	交際費の損金不算入	法人が支出した交際費等の額のうち、一定の金額を超える部分の金額は、課税所得の計算上損金の額に算入しない。	加算調整
③	貸倒引当金の損金不算入	法人が設定した貸倒引当金の額のうち、一定の金額を超える部分の金額は、課税所得の計算上損金の額に算入しない。本問では前期末にて設定した貸倒引当金10,000円を前期の課税所得の計算上、損金不算入（加算調整）している。	加算調整
	貸倒引当金の損金算入	上記、損金不算入となった部分の金額のうち、債権の全額が回収不能など一定の要件を満たせば、課税所得の計算上損金の額に算入する。本問では当期において損金算入が認められたため、当期の課税所得の計算上減算調整する。	減算調整

以上より、税務調整は次のとおりである（単位：円）。

税引前当期純利益	800,000
交際費の損金不算入	36,000
受取配当金の益金不算入	△24,000
貸倒引当金の損金算入	△10,000
課税所得	802,000

したがって、法人税＝課税所得802,000×法人税率20％＝**160,400**（円）となる。

よって、**イ**が正解である。

第7問

　剰余金の配当と処分に関する問題である。剰余金の配当に関する規定をおさえてお

きたい。

ア ✕：株式会社は、原則として、**株主総会の普通決議により1事業年度中いつでも、何回でも剰余金の配当をすることができる。**

イ ✕：資本剰余金は、資本準備金とその他資本剰余金に分かれる。このうち、**その他資本剰余金は剰余金の一部であり、分配可能額の構成要素である**（配当を行うことができる）。

ウ ◯：正しい。取締役会設置会社においては取締役会の決議によって1事業年度中1回に限り中間配当をすることができる旨を定款で定めることができる。

エ ✕：その他利益剰余金（繰越利益剰余金）から配当を行う場合、利益準備金への積み立てが必要になる。**役員賞与を支払う場合には特段このような規定はない。**

よって、**ウ**が正解である。

第8問

貸借対照表の表示に関する問題である。正常営業循環基準・一年基準などについておさえておきたい。

ア ◯：正しい。売掛金は、通常の営業取引によって生じた債権であり正常営業循環基準が適用される。よって、代金回収期間の長短にかかわらず流動資産に分類される。

イ ✕：株式は、その保有目的により表示科目や表示区分が異なる。

保有目的	表示科目	B/S表示区分
売買目的	有価証券	流動資産
満期保有目的	投資有価証券※	固定資産
子会社・関連会社	関係会社株式	固定資産
その他	投資有価証券※	固定資産

※1年以内に満期の到来する社債は、有価証券として流動資産に区分される。

ウ ✕：棚卸資産は、正常営業循環基準が適用される。よって、**販売までの期間にかかわらず流動資産に分類される。**

エ ✕：借入金は、一年基準が適用されるため、返済期日が決算日の翌日から起算して1年以内となった場合には、**短期借入金（もしくは、一年以内返済予定の長期借入金など）に分類される。**

よって、**ア**が正解である。

第9問

キャッシュ・フロー計算書に関する問題である。表示区分やキャッシュ・フローの

プラス（マイナス）要因を整理しておきたい。

ア　✕：棚卸資産は営業活動によるキャッシュ・フローに表示されるが、簿記上の借方項目であり、借方の増加は**キャッシュのマイナス要因（減少要因）**として表示される。

イ　✕：取得日から満期日までの期間が３か月以内の短期投資である定期預金は、**現金同等物であり資金の範囲に含まれる**。

ウ　○：正しい。選択肢のとおりである。

エ　✕：有形固定資産の売却による収入は、**投資活動によるキャッシュ・フローの区分**で表示される。

よって、**ウ**が正解である。

第10問

月末仕掛品原価（総合原価計算）に関する問題である。

減損とは、製品の加工中に原材料の一部が蒸発、粉散、ガス化、煙化などの原因によって消失してしまう、あるいは製品化しない無価値な部分が発生してしまうことをいう。

通常、製造活動の工程において、製品の加工中にある程度の減損は生じる。このような通常発生することがやむを得ない程度の減損のことを正常減損という。この正常減損はやむを得ない減損であり、通常発生することを承知のうえで製造を行っているので、減損にかかった原価（減損してしまった直接材料費とそれが減損するまでにかかった加工費）も完成品や月末仕掛品を製造するのに必要な原価である。

そこで、正常な減損にかかった原価（正常減損費）は完成品や月末仕掛品といった良品の原価の中に含めなければならない。

正常減損費を完成品や月末仕掛品に負担させる場合、正常減損の発生を無視することによって、自動的に負担させる方法を正常減損度外視法という。正常減損費は、正常減損が製造工程のどこで発生したかによって、完成品の原価にのみ含めるか、完成品と月末仕掛品の両方の原価に含めるかを決定する。

正常減損が工程の終点、または月末仕掛品の加工進捗より後の地点で発生した場合、月末仕掛品は減損の発生点を通過していない。したがって、正常減損費はすべて完成品を製造するためにかかった原価と考えられるので、正常減損費は完成品にのみ負担させる。

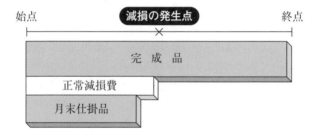

$$月末仕掛品直接材料費 = \frac{月初仕掛品直接材料費 + 当月直接材料費}{(完成品数量 + 正常減損数量) + 月末仕掛品数量} \times 月末仕掛品数量$$

（注）計算式の分母は、月初仕掛品数量＋当月投入数量でもよい。

$$月末仕掛品加工費 = \frac{月初仕掛品加工費 + 当月加工費}{\left(完成品数量 + \begin{matrix}正常減損の\\完成品換算数量\end{matrix} + \begin{matrix}月末仕掛品の\\完成品換算数量\end{matrix}\right)} \times \begin{matrix}月末仕掛品の\\完成品換算数量\end{matrix}$$

（注）計算式の分母は、月初仕掛品の完成品換算数量＋当月投入完成品換算数量でもよい。

$$月末仕掛品直接材料費：\frac{150,000}{(300 + 100) + 200} \times 200 = 50,000 \text{円}$$

$$月末仕掛品加工費：\frac{102,000}{(300 + 100) + 200 \times 50\%} \times (200 \times 50\%) = 20,400 \text{円}$$

月末仕掛品原価：50,000＋20,400＝**70,400円**

または、ボックス図で考えると次のとおりである。

直接材料費

月初仕掛品	完成品	
200 kg	300 kg	
当月投入	正常減損 100 kg	
400 kg	月末仕掛品	
	200 kg	

> 正常減損は完成品原価に含まれる

月末仕掛品
150,000 ÷ 合計600kg = 250円
250円 × 200kg = **50,000円**

加　工　費

月初仕掛品	完成品	
200 kg × 0.5	300 kg	
= 100 kg		
当月投入	正常減損 100 kg	
400 kg※	月末仕掛品	
	200 kg × 0.5	
	= 100 kg	

> 正常減損は完成品原価に含まれる

月末仕掛品
102,000 ÷ 合計500kg = 204円
204円 × 100kg = **20,400円**

※300kg + 100kg + 200kg × 0.5 − 200kg × 0.5 = 400kg

網掛けの正常減損は完成原価に負担させるため、月末仕掛品原価 = 50,000 + 20,400 = **70,400（円）**となる。

よって、**ア**が正解である。

第11問

経営分析に関する問題である。現金（流動資産）、設備（固定資産）、長期借入金（固定負債）の変化に対する、財務諸表および財務比率への影響が問われている。

D案の仕訳は次のとおりである。

（借）設　　　備	×××	（貸）現　　　金	×××

設備（固定資産）が増加するが、同額の現金（流動資産）が減少する。

E案の仕訳は次のとおりである。

（借）長期借入金	×××	（貸）現　　　金	×××

長期借入金（固定負債）および現金（流動資産）がともに減少する。

ア ✕：固定長期適合率は「固定資産÷（自己資本＋固定負債）×100（％）」で計算される。また、数値は低い方が良好な状態を表す。D案では固定資産が増加することで数値が高くなるため悪化する。**E案では固定負債が減少することで数値が高くなるため悪化する。**

イ ○：正しい。自己資本比率は「自己資本÷総資本（総資産）×100（％）」で計算される。また、数値は高い方が良好な状態を表す。D案では自己資本および総資本（総資産）に変化がないため不変である。E案では固定負債が減少することで総資本も減少する。そのため、数値が高くなるため改善する。

ウ ✕：D案では流動資産と固定資産が減少と増加で相殺されるため、総資産は不変である。一方で、**E案では流動資産と固定負債がともに減少するため、総資産は減少する。**

エ ✕：流動比率は「流動資産÷流動負債×100（％）」で計算される。また、数値は高い方が良好な状態を表す。D案、E案ともに流動資産が減少し流動負債に変化はないため数値が低くなる。よって、**D案、E案ともに悪化する。**

よって、**イ**が正解である。

第12問

経営分析に関する問題である。生産性の観点が問われている。

設問1 ● ● ●

付加価値率の計算式は「付加価値÷売上高×100（％）」である。

付加価値率：12,000÷48,000×100＝**25％**

よって、**イ**が正解である。

設問2 ● ● ●

与えられている財務比率の計算式は次のとおりである。

財務比率	計算式
労 働 生 産 性	付加価値÷従業員数（円／人）
設 備 生 産 性	付加価値÷有形固定資産×100（％）
労 働 装 備 率	有形固定資産÷従業員数（円／人）

これを計算すると以下のとおりである。

財務比率	当社	F社	良好
労働生産性	600（万円／人）	560（万円／人）	当社
設備生産性	75（％）	112（％）	F社
労働装備率	800（万円／人）	500（万円／人）	当社

　労働生産性は当社が上回っており、その要因は労働装備率がF社のそれを上回っているからである。

　よって、**エ**が正解である。

第13問

　キャッシュ・コンバージョン・サイクル（CCC）に関する問題である。キャッシュ・コンバージョン・サイクルは、仕入債務を支払った後に売上債権の回収までの所要日数を示す指標である。

　企業活動における「現金→材料→仕掛品→製品→売上債権→現金」というサイクルは、1回の営業活動の終了によって現金に戻る。この期間は、材料または商品を仕入れて製品を販売するまでの期間（資金が在庫品になっている期間）に加え、製品を販売した後に顧客から代金を回収するまでに要する期間で表される。さらに、この期間から材料または商品を購入し現金で支払うまでの期間を差引くことでキャッシュサイクルを求めることができる。このようなキャッシュサイクルに投入された資金が運転資金である。

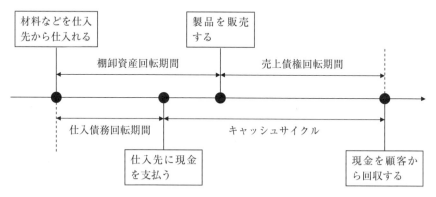

キャッシュサイクル＝棚卸資産回転期間＋売上債権回転期間－仕入債務回転期間

　キャッシュサイクルは、短い方が望ましい。仕入債務の支払後、キャッシュサイクルの間、売上債権の回収ができない。したがって、手元資金がない場合は、その間の資金を短期の借り入れによって賄うことになり、支払利息が発生することになる。

ア ✕：売上債権回転率が低くなると、売上債権回転期間が長くなる。よって、キャッシュ・コンバージョン・サイクルは**長くなる**。

イ ✕：キャッシュ・コンバージョン・サイクルは、**マイナスの値になる場合もある**。たとえば、小売業、飲食業などの非製造業は、仕入債務の支払いよりも売上債権の回収が先になる。キャッシュ・コンバージョン・サイクルがマイナスの場合、運転資本が不要となり、資金繰りが楽になるという利点がある。

ウ ✕：仕入債務回転期間が短くなると、キャッシュ・コンバージョン・サイクルは**長くなる**。

エ ○：正しい。棚卸資産回転期間が短くなると、キャッシュ・コンバージョン・サイクルは短くなる。

よって、**エ**が正解である。

第14問

株価指標（1株当たり配当）に関する問題である。問題文で与えられているROE、配当性向から導く必要がある。

●ROE＝当期純利益÷期首自己資本3,000×100＝5％（0.05）

より、当期純利益＝期首自己資本3,000×0.05＝150（万円）

●配当性向＝配当金÷当期純利益150＝40％（0.4）

より、配当金＝当期純利益150×0.4＝60（万円）

●1株当たり配当金＝配当金60万円÷発行済株式数20万株＝3（円）

よって、**イ**が正解である。

第15問

MM理論に関する問題である。資本構成を変化させたときの自己資本利益率への影響（財務レバレッジ）および企業価値への影響（MM理論）が問われている。

設問1 ● ● ●

財務レバレッジの計算式を用いて、自己資本利益率（ROE）を計算する。本問では、営業利益が税引前当期純利益に等しいため、総資本営業利益率とROAが同率である（営業利益が事業利益と等しい）。また設問文より、資本構成の変化によって総資本営業利益率は変化しない、税金（法人税）は存在しないものとして計算する。

ROE＝（1－税率）×｜ROA＋（ROA－負債利子率）×負債比率｜

●ROA：0.1（10％）

●ROE：$0.1 + (0.1 - 0.03) \times (1 / 1) = 0.17$ （17%）

なお、本問では上記の財務レバレッジ式を用いなくても次のとおり計算することができる。

<table>
<tr><td colspan="2" align="center">（変化前）貸借対照表</td></tr>
<tr><td>時価

10 億円</td><td>自己資本

10 億円</td></tr>
</table>

<table>
<tr><td colspan="2" align="center">（変化後）貸借対照表</td></tr>
<tr><td rowspan="2">時価

10 億円</td><td>負債　　5 億円</td></tr>
<tr><td>自己資本　5 億円</td></tr>
</table>

●営業利益：10億円×0.1 = 1 （億円）
●支払利息： 5 億円×負債利子率0.03 = 0.15 （億円）
●当期純利益： 1 － 0.15 = 0.85 （億円）
●自己資本利益率（ROE）：0.85 ÷ 5 = 0.17 （17%）
よって、**ウ**が正解である。

設問2 ● ● ● ●

資本構成を変化させたときの企業価値の影響が問われている。本問では、法人税（法人税率20％）が存在する。したがって、負債利用による節税効果のため、財務レバレッジ（負債比率）が高まるほど節税効果の現在価値分だけ企業価値は上昇することになる。負債を利用した場合における企業価値の計算式は、次のとおりである。

> 【MM の修正命題の計算式】
> 借入のある企業価値＝借入のない企業価値＋税率×負債額

資本構成を変化させた場合の負債額は 5 億円であり、税率は20％である。

したがって、**資本構成を変化させることで、企業価値が 5 億円×0.2 = 1 億円増加する。**

よって、**イ**が正解である。

第16問

特殊原価概念に関する問題である。機会原価と埋没原価、関連原価が問われている。
●空欄A

機会原価とは、選択されなかった選択肢のうちで最善の価値のことである。たとえば、ある事業投資を選択することによって、別の事業機会を失うような場合、失った方の事業から得られる収益が該当する。本問では、G 社と H 社のどちらかに販売すると他方を断らなければならないため、**機会原価はG 社に販売したときは130万円（H 社の購入価格）、H 社に販売したときは120万円（G 社の購入価格）である。**
●空欄B

埋没原価（サンクコスト）は、すでに使ってしまった費用であり、投資プロジェク

トを採用してもしなくても戻ってこない。したがって、投資プロジェクトの採否の意思決定には無関係であり、投資決定の際のキャッシュフローには考慮してはならない。たとえば、市場調査会社に支払った費用やテストマーケティング費用などが該当する。本問では、**埋没原価**は機械装置の製造に要したコストであり、G社とH社のどちらを選択しても変化しない支出原価である。

●空欄C

埋没原価（空欄B）に対して、機会原価（空欄A）はどちらを選ぶかによって変化するため、**関連原価**と呼ばれる。関連原価とは、代替案の比較によって発生額の異なる原価である。

よって、空欄A：機会原価、空欄B：埋没原価、空欄C：関連原価の組み合わせが正しく、**イ**が正解である。

第17問

2つの事業部における投資評価（内部収益率）に関する問題である。内部収益率が最低限必要とされる収益率である資本コストよりも大きければ、その投資案は有利であるから採用すべきと判定し、逆に内部収益率が資本コストよりも小さければ、その投資案は不利であるから棄却すべきと判定される。

投資案の内部収益率と資本コストを比較する必要があるが、本問では、各事業部の資本コスト、全社的加重平均資本コスト（WACC）の2つの資本コストが与えられている。どちらを採用すべきであろうか。全社的加重平均資本コストは、全社の平均的なリスク特性を反映したものとして推定されている。よって、検討対象である投資案が全社の平均的な事業と類似したリスク特性を持っている場合には、推定された全社的加重平均資本コストをそのまま適用して意思決定を行う。しかし、事業のリスク特性が異なる分野の投資案に対して全社的加重平均資本コストを適用しない。

●全社的加重平均資本コストを適用した場合

H案の内部収益率 10％ ＞ 全社的加重平均資本コスト 8％

L案の内部収益率 7％ ＜ 全社的加重平均資本コスト 8％

であり、H案は採択され、L案は棄却される。

●各事業部の資本コストを適用した場合

H案の内部収益率 10％ ＜ H事業部の資本コスト 11％

L案の内部収益率 7％ ＞ L事業部の資本コスト 5％

であり、H案は棄却され、L案は採択される。

以上より、それぞれ異なる結論を導くこととなる。しかし、H事業部の資本コストは11％で、L事業部の資本コストは5％である（本企業は借り入れを行っていないこ

とから、負債の資本コストの影響を受けていない）ため、事業のリスク特性が異なると判断できる。したがって、各事業部の資本コストを適用することになり、**H案は棄却され、L案は採択される。**

よって、選択肢**ウ**が正解である。

第18問

ポートフォリオ理論に関する問題である。

ア ✕：２つのリスク資産からなるポートフォリオのリスク（リターンの標準偏差）は、**各資産のリスクを投資比率で加重平均した値ではない**（ただし、相関係数がプラス１の場合に限り、各資産のリスクを投資比率で加重平均した値となる）。

●２つのリスク資産からなるポートフォリオのリスク（リターンの標準偏差）
証券Yと証券Zを保有比率aとbで保有した場合のリスクは次の計算式で表すことができる（数学的証明は割愛する）。

$$リスク D_{YZ} = \sqrt{a^2\sigma_Y^2 + b^2\sigma_Z^2 + 2ab\rho_{YZ}\sigma_Y\sigma_Z}$$

σ_Y：証券Yの標準偏差　　　σ_Z：証券Zの標準偏差
ρ_{YZ}：相関係数

イ 〇：正しい。２つのリスク資産からなるポートフォリオのリターンは、各資産のリターンを投資比率で加重平均した値である。

ウ ✕：両資産のリターン間の相関係数が**小さい**（マイナス１に近い）ほど、リスク低減効果は顕著となる。

エ ✕：安全資産とリスク資産からなるポートフォリオのリスク（リターンの標準偏差）は、リスク資産への投資比率に**比例**する。なお、安全資産の標準偏差 σ はゼロ、株式と安全資産の相関係数 ρ はゼロであるため、ポートフォリオのリスク（リターンの標準偏差）は、前述の選択肢アの計算式より、次のように計算できる。

標準偏差（リスク）$D = \sqrt{a^2\sigma_Y^2}$
＝a×株式ポートフォリオの標準偏差
したがって、リスク資産への投資比率に**比例**する（反比例ではない）。
よって、**イ**が正解である。

第19問

効率的市場仮説（セミストロング型）に関する問題である。効率的市場では、過去から現在まで発生しているすべての情報が株価に反映されており、株価は新たな情報が発生する場合にのみ変動する。ファーマによれば、効率的市場仮説は３つのレベル

に分類される。

分　類	否定される情報	内　容
①ウィーク型の効率性	過去の株価系列（テクニカル分析）	過去の株価の動きは相互に独立でランダムなもので、過去の株価を分析しても何の情報ももたらさないものとする。この説では過去の株価系列も価格に反映されているとする。
②セミストロング型の効率性	マクロ経済指標、利益予想などのファンダメンタル	効率的市場では財務情報は即座に株価に反映するから、公表された情報を分析しても平均以上の利益は上げられないとする。この説ではファンダメンタルも価格に反映されているとする。
③ストロング型の効率性	インサイダー情報	株価は公表されている情報のみならず、未公表の情報も含めてすべての情報を反映して形成されるものである。この説ではインサイダー情報も価格に反映されているとする。

ア　✕：インサイダー情報が価格に反映されているのは、**ストロング型**の記述である。

イ　〇：正しい。公に入手可能な情報とは、マクロ経済指標、利益予想などのファンダメンタルを意味する。これらの情報は、市場価格に反映されているとする。

ウ　✕：新しい情報が発生すればそれを反映して瞬時に市場価格は変動する。そのため、市場価格は**ランダム（不規則的）**に変動する。

エ　✕：効率的市場では、現在までに発生している情報がすべて価格に織り込まれている市場を前提としている。現在までに発生している情報がすべて価格に織り込まれているということは、将来情報が発生する可能性まで予想されて、そのリスクとリターンが考慮されて現在の価格が決定されていることを意味する。しかし、すべての証券の**将来の価格を確実に予測できるわけではない**。

よって、**イ**が正解である。

第20問

　株主価値に関する問題である。本問では割引キャッシュフローモデルによる株主価値の計算が問われている。A社には現在も今後も負債がないため、企業価値＝株主価値が成り立つ（負債価値＝ゼロである）。

　企業が生み出すフリーキャッシュフローが一定割合で成長する場合、株主価値の計算式は次のとおりである。

$$企業価値 = \frac{1年後（次期）のフリーキャッシュフロー}{加重平均資本コスト - FCFの成長率}$$

①　フリーキャッシュフロー（FCF）

　　FCF＝税引後営業利益＋減価償却費－運転資金の増加額－投資額

$= 1,200 + 300 - 100 - 500 = 900$（万円）

② 加重平均資本コスト（WACC）

本問では負債がないため、加重平均資本コスト＝株主の要求収益率（株主資本コスト）が成り立つ。

よって、WACC＝6 ％（0.06）である。

③ FCFの成長率　3 ％（0.03）

以上より、

株主価値＝$900 \div (0.06 - 0.03) = $**30,000（万円）**となる。

よって、**イ**が正解である。

第21問

サステナブル成長率（Sustainable Growth Rate：SGR）に関する問題である。サステナブル成長率とは、ROEと配当性向が一定であるとき、企業が外部資金を調達せずに、内部留保のみを事業に投資して達成できる当期純利益および配当の成長率のことである。サステナブル成長率は、次の計算式で求めることができる。

サステナブル成長率＝ROE×（1－配当性向）

＝ROE×内部留保率

ア ✕：純利益の全額を配当する場合、配当性向が1（100％）となるため、サステナブル成長率は**ゼロ**となる。

イ ✕：サステナブル成長率は、ROEに（**1－配当性向**）を乗じることで求めることができる。

ウ ✕：サステナブル成長率は、「内部留保率＝1－配当性向」の関係が成り立つため、内部留保率の影響を受ける。

エ 〇：正しい。サステナブル成長率は、配当割引モデルの配当成長率として用いられる。

よって、**エ**が正解である。

第22問

市場リスクに関する問題である。市場リスクは、金利、為替、株式等のさまざまな市場のリスク・ファクターの変動により、資産・負債の価値が変動し損失を被るリスク、資産・負債から生み出される収益が変動し損失を被るリスクのことである。システマティック・リスクともいい、市場に連動するリスクのことで、分散投資によって消去不可能なリスクである。

a 〇：正しい。為替リスクであり、市場リスクに該当する。

b ✕：信用リスクのことであり、市場のリスク・ファクターの変動とは無関係であ

る。

c ○：正しい。金利変動リスクであり、市場リスクに該当する。

d ×：流動性リスクのことであり、市場のリスク・ファクターの変動とは無関係である。流動性リスクは、市場で株式や債券を売却しようとした際に、すぐに売れなかったり、希望価格で売れなかったりするリスクのことをいう。

よって、選択肢**a**と**c**の組み合わせが正しく、**イ**が正解である。

第23問

為替予約に関する問題である。ドル買いの為替予約が問われている。本企業はドル建てで商品の仕入れを行っているため、輸入側である。輸入側は円安になれば不利になり、円高になれば有利になる。本問は1ドル131円で買う為替予約を行うことを前提とする。円安による為替リスクを回避するため、3か月後、1ドルの硬貨を131円で買う予約をする。

●空欄A

3か月後の為替相場（直物）が134円になる場合（円安になる場合）、1ドルの硬貨を134円で調達しなければならない。為替予約をした場合は、1ドルの硬貨を131円で調達できるが、為替予約をしなかった場合は、1ドルの硬貨を134円で調達しなければならない。したがって、（為替予約をすれば）為替予約をしなかった場合に比べ、円支出は（131円／ドル－134円／ドル）×1万ドル＝△3万円であるため、**3万円少なくなる**。よって、為替リスクの回避が可能となる。

●空欄B

3か月後の為替相場（直物）が125円になる場合（円高になる場合）、1ドルの硬貨を125円で調達することができる。為替予約をした場合は、1ドルの硬貨を131円で調達できるが、為替予約をしなかった場合は、1ドルの硬貨を125円で調達する。したがって、（為替予約をすれば）為替予約をしなかった場合に比べ、円支出は（131円／ドル－125円／ドル）×1万ドル＝6万円であるため、**6万円多くなる**。よって、（為替予約をしなかった場合）実勢相場で決済をすれば円支出は少なくてすむが、為替予約をしているため円支出は多くなる。

よって、「空欄A：3万円少なくなる」、「空欄B：6万円多くなる」の組み合わせが正しく、**イ**が正解である。

令和 4 年度 問題

uestions

第1問

　以下の資料に基づき、決算日の調整後の当座預金勘定残高として、最も適切なものを下記の解答群から選べ。

【資　料】

　当店の決算日現在の当座預金勘定残高は500,000円であったが、銀行から受け取った残高証明書の残高は480,000円であったので、不一致の原因を調査したところ、次の事実が判明した。

① 　仕入先銀座商店へ買掛金80,000円の支払いのために振出した小切手が、未取付であった。
② 　得意先京橋商店から売掛金150,000円の当座振込があったが、通知未達のため未記入である。
③ 　得意先新橋商店が振出した小切手200,000円を当座預金口座へ預け入れたが、いまだ取り立てられていない。
④ 　水道光熱費50,000円の通知が未達である。

```
［解答群］
ア　520,000円
イ　600,000円
ウ　620,000円
エ　720,000円
```

第2問

　A、B、Cの各商店は、いずれも資産2,000万円、負債500万円を有する小売業であるが、あるとき各商店ともそれぞれ800万円で店舗を増築した。支払いの内訳は以下のとおりである。

・A店は全額を自店の現金で支払った。
・B店は建築費の半額を銀行より借り入れ、残額を自店の現金で支払った。

・C店は全額、銀行からの借り入れであった。

　下表のア～オのうち、増築後の各商店の財政状態を示すものとして、最も適切なものはどれか。

（単位：万円）

	店名	資　産	負　債	純資産
ア	A	2,000	500	1,500
	B	2,000	900	1,100
	C	2,800	1,300	1,500
イ	A	2,000	500	1,500
	B	2,400	900	1,500
	C	2,800	1,300	1,500
ウ	A	2,800	—	2,800
	B	2,800	400	2,400
	C	2,800	800	2,000
エ	A	2,800	500	1,500
	B	2,800	900	1,500
	C	2,800	1,300	1,500
オ	A	2,800	500	2,300
	B	2,800	900	1,900
	C	2,800	1,300	1,500

第3問

収益認識のタイミングとして、最も適切なものはどれか。

ア　委託販売において、商品を代理店に発送した時点

イ　割賦販売において、商品を引き渡した時点

ウ　試用販売において、試用のために商品を発送した時点

エ　予約販売において、商品の販売前に予約を受けた時点

第4問

外貨建取引に関する記述として、最も適切なものはどれか。

ア　外貨建の金銭債権・債務、前払金・前受金については、決算日の直物為替レートにより換算する。

イ　為替差損益は、原則として営業外収益または営業外費用とする。

ウ　在外支店の財務諸表項目の換算は、決算日の直物為替レートにより換算する。

エ　二取引基準とは、自国通貨と外国通貨で帳簿を作成することをいう。

第5問

貸借対照表における無形固定資産に関する記述として、最も適切なものはどれか。

ア　受注制作のソフトウェアについても償却を行う。

イ　人的資産は無形固定資産に含まれる。

ウ　のれんは減損処理の対象となる。

エ　無形固定資産の償却には定額法と定率法がある。

第6問　　★重要★

原価計算における非原価項目として、最も適切なものはどれか。ただし、すべて正常なものであるとする。

ア　売上債権に対する貸倒引当金繰入

イ　減価償却費

ウ　仕損、減損、棚卸減耗損

エ　支払利息

第7問

当社は資本金1億円以下の中小法人に該当する。当期400万円の繰越欠損金を計上した。そのときの仕訳として、最も適切なものはどれか（単位：万円）。なお、法人税の実効税率は30％とする。

ア　（借）繰越利益剰余金　120　　（貸）繰越欠損金　　120

イ　（借）繰越利益剰余金　400　　（貸）繰越欠損金　　400

ウ　（借）繰延税金資産　　120　　（貸）法人税等調整額　120

エ　（借）法人税等調整額　120　　（貸）繰延税金負債　　120

第8問

　従業員の給料・賞与支払時に「預り金」として処理するものとして、最も不適切なものはどれか。

ア　源泉所得税

イ　事業主負担の社会保険料

ウ　社内預金

エ　従業員負担の生命保険料

第9問

　退職給付会計に関する記述として、最も不適切なものはどれか。

ア　退職給付会計における年金資産とは、制度に基づいて積み立てられた年金資産だけでなく、一定の要件を満たした外部積立の資産も年金資産とみなしている。

イ　退職給付会計における費用は、「退職給付費用」として企業の損益計算書に計上される。

ウ　退職給付制度が終了した場合、資産の減少を伴って退職給付債務が減少する。

エ　年金資産および年金債務は両建てで貸借対照表に表示されなければならない。

第10問

　自己株式の会計処理に関する記述として、最も適切なものはどれか。

ア　自己株式の取得は、他社の株式を取得する場合と同様に処理される。

イ　自己株式の取得は純資産の減少、自己株式の売却は純資産の増加として処理する。

ウ　自己株式を消却した場合、その他利益剰余金が減少する。

エ　自己株式を消却した場合、資産が減少する。

第11問　　★重要★

　当期はX5年4月1日からX6年3月31日の1年間である。決算整理前の機械勘定の残高は216,000円であるが、当期より直接控除法から間接控除法に記帳方法を変更する。この機械はX1年4月1日に取得したものであり、耐用年

数10年、残存価額をゼロとする定額法により減価償却を行っている。

この機械の取得原価として、最も適切なものはどれか。

ア　216,000円

イ　237,600円

ウ　360,000円

エ　432,000円

第12問

当工場では、単一製品Xを製造・販売している。以下の資料に基づいて、下記の設問に答えよ。

【資　料】

当期における実績値は次のとおりであった。

製造原価	販売費及び一般管理費
直接材料費 ······240円／個	変動販売費 ············100円／個
直接労務費 ······160円／個	固定販売費・一般管理費 ···50,000円
製造間接費	
変動費 ······100円／個	
固定費 ······200,000円	

また、当期の生産量は1,000個、販売量は800個（単価1,000円）であり、仕掛品および期首製品は存在しない。

設問1 ● ● ●　★重要★

直接原価計算を採用した場合の営業利益として、最も適切なものはどれか。

ア　△30,000円

イ　　　　0円

ウ　70,000円

エ　110,000円

設問2 ● ● ●　★重要★

損益分岐点売上高として、最も適切なものはどれか。

ア　400,000円

イ　500,000円

ウ　625,000円

エ　800,000円

第13問

次の文章を読んで、下記の設問に答えよ。

　A社では、X1年4月末に以下のような資金繰り表（一部抜粋）を作成した（表中のカッコ内は各自推測すること）。

（単位：万円）

			5月	6月
前月末残高			1,000	470
経常収支	収入	現金売上	200	240
		売掛金回収	800	800
		収入合計	1,000	1,040
	支出	現金仕入	720	（　　）
		諸費用支払	510	540
		支出合計	1,230	（　　）
	収支過不足		− 230	（　　）
備品購入支出			300	0
当月末残高			470	（　　）

売上高の実績額および予想額は以下のとおりである。

（単位：万円）

4月（実績）	5月（予想）	6月（予想）	7月（予想）
1,000	1,000	1,200	1,600

また、条件は以下のとおりである。

①　売上代金の20％は現金で受け取り、残額は翌月末に受け取る。

②　仕入高は翌月予想売上高の60％とする。仕入代金は全額現金で支払う。

③　すべての収入、支出は月末時点で発生するものとする。

④　5月末に事務用備品の購入支出が300万円予定されているが、それを除き、経常

収支以外の収支はゼロである。

⑤ A社では、月末時点で資金残高が200万円を下回らないようにすることを、資金管理の方針としている。

設問1 ● ● ●

A社は資金不足に陥ることを避けるため、金融機関から借り入れを行うことを検討している。6月末の時点で資金残高が200万円を下回らないようにするには、いくら借り入れればよいか。最も適切なものを選べ。ただし、借入金の利息は年利率5％であり、1年分の利息を借入時に支払うものとする。

ア　190万円
イ　200万円
ウ　460万円
エ　660万円

設問2 ● ● ●

中小企業診断士であるあなたは、A社の経営者から、当座の資金繰り対策として銀行借り入れ以外の手段がないか、アドバイスを求められた。6月末の時点で資金残高が200万円を下回らないようにするための手段として、最も適切なものはどれか。

ア　5月に予定されている事務用備品の購入支出のうち半額を現金払いとし、残額の支払いは7月に延期する。
イ　6月に予定されている諸費用支払のうち400万円を現金払いとし、残額の支払いは7月に延期する。
ウ　仕入先と交渉して、6月の仕入代金のうち半額を現金払いとし、残額を買掛金（翌月末払い）とする。
エ　得意先と交渉して、5月の売上代金のうち半額を現金で受け取り、残額を売掛金（翌月末回収）とする。

B社は以下のような条件で、取引先に貸し付けを行った。割引率を4％とした
とき、貸付日における現在価値として、最も適切なものを下記の解答群から
選べ。

① 貸付日は2020年7月1日、貸付期間は5年であり、満期日の2025年6月30日に元
本200万円が返済されることになっている。
② 2021～2025年の毎年6月30日に、利息として元本の5％である10万円が支払われ
る。
③ 期間5年のときの複利現価係数と年金現価係数は以下のとおりである。

	複利現価係数	年金現価係数
4 %	0.822	4.452
5 %	0.784	4.329

[解答群]
ア 200.1万円
イ 201.3万円
ウ 207.7万円
エ 208.9万円

C社では、以下の証券Yと証券Zに等額ずつ分散投資するポートフォリオで
運用することを検討している。証券Yと証券Zの収益率の相関係数がゼロのと
き、ポートフォリオの収益率の標準偏差として、最も適切なものを下記の解答
群から選べ。

	証券 Y	証券 Z
期待収益率	3%	6%
標準偏差	10%	20%

ただし、$\sqrt{15} \fallingdotseq 3.9$、$\sqrt{30} \fallingdotseq 5.5$、$\sqrt{125} \fallingdotseq 11.2$、$\sqrt{250} \fallingdotseq 15.8$である。

第16問

以下の図は、すべてのリスク資産と安全資産により実行可能な投資機会を表している。投資家のポートフォリオ選択に関する記述として、最も適切なものを下記の解答群から選べ。

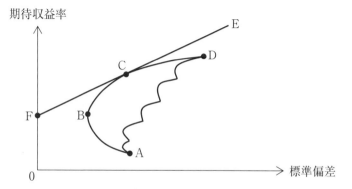

[解答群]

ア 安全資産が存在しない場合、効率的フロンティアは曲線ABCDである。

イ 安全資産が存在しない場合、投資家のリスク回避度にかかわらず、リスク資産の最適なポートフォリオは点Cになる。

ウ 安全資産が存在する場合、投資家のリスク回避度が高いほど、リスク資産の最適なポートフォリオは曲線BCD上の点D寄りに位置する。

エ 安全資産が存在する場合で、かつ資金の借り入れができないならば、効率的フロンティアはFCDを結んだ線となる。

第17問

以下の資料に基づき計算したサステナブル成長率（内部留保のみを事業に投資した場合の純資産の成長率）として、最も適切なものを下記の解答群から選べ。

【資　料】

売上高	5,000万円
当期純利益	200万円
総資産	4,000万円
純資産	1,000万円
配当	80万円

[解答群]

ア　2%

イ　3%

ウ　8%

エ　12%

第18問

　企業価値評価における割引超過利益モデルに関する記述として、最も不適切なものはどれか。

ア　クリーン・サープラス関係が成り立つ場合、配当性向が高いほど株式価値は高くなる。

イ　クリーン・サープラス関係が成り立つ場合、配当割引モデルから割引超過利益モデルを導出することができる。

ウ　将来の配当がゼロの場合でも株式価値を求めることができる。

エ　毎期の予想利益が、自己資本に自己資本コストを乗じた額を上回るならば、株式価値は当期自己資本簿価を上回る。

第19問

　非上場会社の株式評価の方法に関する記述として、最も適切なものはどれか。

ア　時価純資産方式では、対象会社が事業を継続することを前提とする場合、再調達時価を用いるべきである。

イ　収益還元方式は、将来獲得すると期待される売上高を割り引いた現在価値に基づき、株式評価を行う方法である。

ウ　簿価純資産方式は、客観性に優れた株式評価方式のため他の方式よりも優先して
　　適用されるべきである。

エ　類似業種比準方式とは、対象会社に類似する非上場会社の過去の買収事例をベー
　　スに株式評価を行う方法である。

第20問

先物取引および先渡取引に関する記述として、最も適切なものはどれか。

ア　先物価格と現物価格の差は、満期日までの長さとは関連がない。

イ　先物取引では取引金額を上回る額の証拠金を差し入れる必要がある。

ウ　先物取引における建玉は、清算値段により日々値洗いされる。

エ　先渡取引は、先物取引と異なり、ヘッジ目的に用いられることはない。

第21問　★重要★

投資の評価基準に関する記述として、最も適切な組み合わせを下記の解答群
から選べ。

a　回収期間が短いほど、内部収益率は高くなる。

b　回収期間法では、回収後のキャッシュフローを無視している。

c　正味現在価値法では、投資によって生じる毎年のキャッシュフローの符号が複数
　　回変化する場合、異なるいくつかの値が得られる場合がある。

d　内部収益率法を用いて相互排他的投資案を判定すると、企業価値の最大化をもた
　　らさないことがある。

[解答群]

ア　aとb

イ　aとc

ウ　bとc

エ　bとd

オ　cとd

リスクがある場合の割引現在価値の計算に関する記述として、最も適切なものはどれか。

ア　確実性等価法で用いる割引率は資本コストである。

イ　確実性等価法は、将来キャッシュフローの期待値をその不確実性が大きいほど、高めに見積もる方法である。

ウ　リスク調整割引率法とは、割引率からリスク・プレミアムを差し引いて、現在価値を求める方法である。

エ　リスク調整割引率法におけるリスク・プレミアムは、将来キャッシュフローが不確実であるほど大きくなる。

配当政策に関する記述として、最も適切なものはどれか。ただし、他の条件は一定とする。

ア　1株当たり配当金額を一定にする政策では、当期の利益額にかかわらず配当性向は変わらない。

イ　自己資本配当率（配当額÷期首自己資本）を一定にする政策では、当期の利益額にかかわらず1株当たり配当金額は変わらない。

ウ　当期の利益額のうち投資に必要な支出分を留保し、残余を配当する政策では、当期の利益額にかかわらず配当性向は変わらない。

エ　配当性向を一定にする政策では、当期の利益額にかかわらず自己資本配当率（配当額÷期首自己資本）は変わらない。

令和 **4** 年度
解答・解説

nswers

問題	解答	配点	正答率※	問題	解答	配点	正答率※	問題	解答	配点	正答率※
第1問	イ	4	C	第10問	イ	4	C	第17問	エ	4	C
第2問	イ	4	B	第11問	ウ	4	B	第18問	ア	4	D
第3問	イ	4	B	第12問 (設問1)	ウ	4	B	第19問	ア	4	D
第4問	イ	4	B	第12問 (設問2)	ウ	4	A	第20問	ウ	4	B
第5問	ウ	4	C	第13問 (設問1)	イ	4	C	第21問	エ	4	B
第6問	エ	4	C	第13問 (設問2)	ウ	4	B	第22問	エ	4	B
第7問	ウ	4	C	第14問	エ	4	C	第23問	イ	4	C
第8問	イ	4	C	第15問	ウ	4	D				
第9問	エ	4	C	第16問	エ	4	C				

第1問

　銀行勘定調整表に関する問題である。決算日において当座預金勘定の決算整理仕訳を行う必要がある。

　決算日の月末において、企業の当座預金勘定の残高と銀行側の当座預金口座の残高とが一致しないことがある。そこで、銀行に残高証明書を発行してもらい、その原因を調査し、不一致原因を明らかにする。

　企業残高と銀行残高の不一致は、企業または銀行のいずれかまたは双方に、連絡の未通知（未達）または計算・記帳上の誤り等があることに起因する。なお、一般的な不一致原因は以下のようなものがあり、企業側で決算整理仕訳が必要なものと必要でないものに大別される。

１．銀行側の原因（当社では適正に処理済み→仕訳不要）

不一致原因	内　容	銀行勘定調整表における加算・減算
時間外預入	当社は銀行に現金を預け入れたが、銀行では閉店後であったため、翌日に入金処理を行った。	銀行側・加算
未取立小切手	当社は銀行に対して小切手の取立依頼をして入金処理を行ったが、銀行では取立が完了していない。	銀行側・加算
未取付小切手	当社は小切手を振り出して支払先に交付したが、銀行には未呈示のままとなっている。	銀行側・減算

2. 当社側の原因→決算整理仕訳

不一致原因	内　容	銀行勘定調整表における加算・減算
未 渡 小 切 手	当社では小切手を振り出して出金処理を行ったが、支払先には未渡のままとなっている。	当社側・加算
振 込 未 記 帳	銀行に当座振込がされたが、当社ではその通知を受けていないため入金処理は行っていない。	当社側・加算
引 落 未 記 帳	銀行で当座引落がされたが、当社ではその通知を受けていないため出金処理を行っていない。	当社側・減算
誤 　 記 　 帳	当社で取引金額等を誤って入金処理または出金処理した。	当社側・加算または減算

本問で示されている①は未取付小切手なので銀行側・減算、②は振込未記帳なので当社側・加算、③は未取立小切手なので銀行側・加算、④は引落未記帳なので当社側・減算で処理をする。

銀行勘定調整表を記すと以下のとおりである（単位：円）。

当座預金勘定残高	500,000	銀行の証明書残高	480,000
②振込未記帳	＋ 150,000	①未取付小切手	− 80,000
④引落未記帳	− 50,000	③未取立小切手	＋ 200,000
修正後の残高	**600,000**	修正後の残高	600,000

よって、**イ**が正解である。

第2問

財政状態（貸借対照表）に関する問題である。各商店の増築前の財政状態は次のとおりである。

資産	負債
2,000 万円	500 万円
	純資産
	1,500 万円※
	※ 2,000 − 500 ＝ 1,500

各商店の支払いの内訳から財政状態を考える。

＜A店＞

・全額（800万円）を自店の現金で支払った。

（借）建	物	800	（貸）現	金	800

よって、財政状態は次のとおりである。

資産		負債	
	2,000 万円※		500 万円
※ 2,000 + 800 − 800 = 2,000		純資産	1,500 万円

＜B店＞

・建築費の半額を銀行より借り入れ、残額を自店の現金で支払った。

① 銀行からの借り入れ

（借）現	金	400	（貸）借 入	金	400

② 増築の支払い

（借）建	物	800	（貸）現	金	800

よって、財政状態は次のとおりである。

資産		負債	
	2,400 万円※		900 万円※
		※ 500 + 400 = 900	
※ 2,000 + 400 + 800 − 800 = 2,400		純資産	1,500 万円

＜C店＞

・全額、銀行からの借り入れであった。

① 銀行からの借り入れ

（借）現	金	800	（貸）借 入	金	800

② 増築の支払い

（借）建	物	800	（貸）現	金	800

よって、財政状態は次のとおりである。

資産	負債
2,800万円※	1,300万円※
※ 2,000 + 800 + 800 − 800 = 2,800	※ 500 + 800 = 1,300
	純資産
	1,500万円

よって、**イ**が正解である。

収益認識のタイミングに関する問題である。特殊商品販売（特殊な形態で行われる商品販売）における収益認識のタイミングが問われている。

ア ✕：委託販売は、原則として販売基準（受託者販売日基準）であり、**受託者が委託品を販売した時点で収益を認識する**。

イ ◯：正しい。割賦販売は、原則として販売基準であり、商品等を引き渡した時点で収益を認識する。

ウ ✕：試用販売は、販売基準（買取意思表示基準）であり、**買取りの意思表示があった時点で収益を認識する**。

エ ✕：予約販売は、販売基準であり、**商品の引渡しまたは役務の給付が完了した時点で収益を認識する**。

よって、**イ**が正解である。

外貨建取引に関する問題である。外貨建取引の主な会計処理は以下のとおりである。

1．取引発生時の会計処理

外貨建取引は、原則として、その取引発生時の為替相場による円換算額をもって記録する。

2．決済時の会計処理

外貨建金銭債権債務等の決済（外国通貨の円転換を含む）にともなう現金収支額は、原則として決済時の為替相場による円換算額をもって記録する。この場合に生じた差額は、為替差損益として処理する。

3．決算時の会計処理（換算替え）

外貨建ての資産および負債のうち貨幣項目（外国通貨および外貨預金を含む外貨建金銭債権債務）について、決算時の為替相場による円換算価額に換算替えする。このときに生じた差額は為替差損益とする。

分　類		項　目	貸借対照表価額
貨幣項目	貨幣性資産	外国通貨 受取手形 売掛金 貸付金　など	決算時の為替相場による円換算額に換算替えする。
	貨幣性負債	支払手形 買掛金 借入金　など	
非貨幣項目	非貨幣性資産	棚卸資産 前払金 有形固定資産 無形固定資産　など	決算時の為替相場による円換算額に換算替えしない。 （取引時または発生時の為替相場による円換算額が貸借対照表価額となる）
	非貨幣性負債	前受金　など	

ア　✕：外貨建の前払金・前受金については、決算時の直物為替レートによる換算替えはしない（取引時または発生時の為替相場による円換算額が貸借対照表価額となる）。

イ　〇：正しい。為替差損益は、原則として、損益計算書上、営業外収益または営業外費用の区分に純額で表示する。

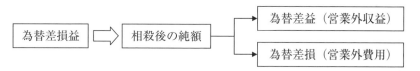

ウ　✕：在外支店の外貨建項目については、原則として上記のような貨幣・非貨幣法の考え方を取り入れている。そのため、必ずしも貸借対照表項目を決算日の直物為替レートにより換算するわけではない。

エ　✕：二取引基準とは、当初の外貨建取引と事後的に行われた決済取引または換算替えを別々の取引として扱う考え方である。なお、この考え方にもとづけば、決済または換算替えによって生じた為替差異は、当初の取引高とは区別されて独立した損益の勘定（為替差損益）として処理されることになり、「外貨建取引等会計処理基準」で採用されている考え方である。

よって、**イ**が正解である。

解答・解説

4年度

第5問

貸借対照表における無形固定資産に関する問題である。無形固定資産とは、具体的な形態を持たない資産のことである。

ア　✕：受注制作のソフトウェアの制作費は、請負工事の会計処理に準じて処理され、

無形固定資産に計上されない。

イ ✕：人的資産については、企業が保有している価値ではあるが、恣意性の介入により資産としての客観的な評価ができないことなどから、**無形固定資産に計上されない**。

ウ 〇：正しい。減損会計の適用対象資産は、固定資産に分類される資産であり、有形固定資産に属する建物・機械装置・土地等や無形固定資産に属するのれん等、さらに投資その他の資産に属する投資不動産等が適用対象となる。

エ ✕：法律上の権利である特許権、商標権などは、法定償却期間にわたり、残存価額をゼロとする**定額法**により償却し、のれんについては、20年以内のその効果の及ぶ期間にわたって、**定額法その他の合理的な方法により規則的に償却する**。

　よって、**ウ**が正解である。

第6問

　原価計算における非原価項目に関する問題である。製造原価、販売費及び一般管理費以外の費用を非原価項目といい、基本的には営業外費用や特別損失がこれに該当する。これら非原価項目は製品の原価を計算していくうえで、原価に含めてはいけないので注意する必要がある。

［参考］

　非原価項目とは、原価計算制度において、原価に算入しない項目をいい、おおむね次のような項目である。

　㈠　経営目的に関連しない価値の減少

　　1　次の資産に関する減価償却費、管理費、租税等の費用

　　⑴　投資資産たる不動産、有価証券、貸付金等

　　⑵　未稼働の固定資産

　　⑶　長期にわたり休止している設備

　　⑷　その他経営目的に関連しない資産

　　2　寄付金等であって経営目的に関連しない支出

　　3　**支払利息**、割引料、社債発行割引料償却、社債発行費償却、株式発行費償却、設立費償却、開業費償却、支払保証料等の財務費用

　　4　有価証券の評価損および売却損

　㈡　異常な状態を原因とする価値の減少

　　1　異常な仕損、減損、たな卸減耗等

　　2　火災、震災、風水害、盗難、争議等の偶発的事故による損失

　　3　その他訴訟費用など

（三） 税法上とくに認められている損金算入項目

    1　価格変動準備金繰入額

    2　租税特別措置法による償却額のうち通常の償却範囲額をこえる額

（四） その他の利益剰余金に課する項目

    1　法人税、所得税、都道府県民税、市町村民税

    2　配当金など

よって、**エ**が正解である。

繰越欠損金の計上（税効果会計）に関する問題である。税務上、単年度の課税所得がマイナスとなり税務上の欠損金が生じた場合、その発生年度の翌期以降で繰越期限切れとなるまでの期間（「繰越期間」という）に課税所得が生じた場合には、課税所得を減額することができる。繰越欠損金とは、この制度により将来に繰り越す欠損金をいう。

繰越欠損金は、将来の課税所得を減少させ、税金負担額を軽減することができると認められるものであり、「繰越欠損金額×実効税率」について税効果会計を適用する（将来減算一時差異として処理する）。

（借）繰 延 税 金 資 産	120	（貸）法 人 税 等 調 整 額	120

※繰越欠損金400×実効税率30％＝120

よって、**ウ**が正解である。

従業員の給料・賞与支払時の預り金に関する問題である。企業は、従業員個人の収入である給料に課される所得税や、従業員が負担する社会保険料等を、給料から差し引いて預かり、これらを後日、従業員に代わって納付する。

健康保険や厚生年金などの社会保険料の掛け金は、本来は従業員個人が支払うものであるが、原則として、雇用主である企業が半額以上を負担することになっている。

従業員の負担分は、企業が給料を支払うときに所得税と同じように預かる。そして、企業が年金事務所等に社会保険料を納めるときには、預かった従業員負担分と事業主分をあわせて納付する。この時の、**社会保険料の事業主負担分は法定福利費勘定で処理する**。

たとえば、仕訳例は次のとおりである。

① 給料総額100万円から源泉所得税、社会保険料等の30万円を控除し、残額を現金

で支払った。

（借）給	料	100	（貸）預 り 金	30
			現 金	70

② 社会保険料の預り金12万円と企業負担分12万円を合わせて現金で納付した。

（借）預 り 金	12	（貸）現 金	24
法 定 福 利 費	12		

よって、**イ**が正解である。

第9問

退職給付会計に関する問題である。退職給付会計は、労働対価等の事由に基づき、企業が将来負担すべき退職給付額のうち、期末までに発生している部分を退職給付に関する債務として財務諸表に計上するものである。退職給付会計を適用することにより、積み立てた資産の運用利回りの低下や資産の含み損などによる年金資産の積立不足の状況が明らかになる。年金資産の積立不足は、将来的には企業の年金給付コストの増加により財政状態を悪化させるおそれがあり、投資情報や企業経営の視点から重要性が高まっている。

ア　○：正しい。年金資産とは、特定の退職給付制度のために、その制度について企業と従業員との契約（退職金規定等）等に基づき積み立てられた一定の要件を満たした特定の資産のことであり、外部積立の資産も年金資産とみなされる。

イ　○：正しい。退職給付費用として損益計算書に計上され、費用処理される。

ウ　○：正しい。退職給付債務とは、一定の期間にわたり労働を提供したこと等の事由に基づいて、退職以後に従業員に支給される給付のうち、認識時点までに発生していると認められるものをいい、割引計算により測定される。また、退職給付制度の終了は、退職金規程の廃止、厚生年金基金の解散、基金型確定給付企業年金の解散または規約型確定給付企業年金の終了のように退職給付制度が廃止される場合や、退職給付制度間の移行または制度の改訂により退職給付債務がその減少分相当額の支払等を伴って減少する場合が考えられる。終了の仕方により、会計処理はいくつかのパターンが考えられるが、年金資産の支給や事業主からの支払いなどにより資産が減少するとともに終了分の退職給付債務が減少する。

エ　✕：年金資産は退職給付の支払いのためのみに使用されることが制度的に担保されていることなどから、これを収益獲得のために保有する一般の資産と同様に企業の貸借対照表に計上することには問題があり、かえって、財務諸表の利用者に誤解を与えるおそれがあると考えられる。そのため、**年金資産は退職給付債務から控除され、貸借対照表に計上されない**。

よって、**エ**が正解である。

自己株式に関する問題である。自己株式とは、会社が株式を発行した後に自社が発行した株式を取得した場合の当該株式をいう。

ア ✕：自己株式を取得した場合には、**取得原価をもって、純資産の部の株主資本から控除する形式で表示するため、他社の株式を取得した場合とは処理が異なる**。なお、当社の自己株式取得時の仕訳を示すと、次のとおりである。

（借）自 己 株 式　　　×× （貸）現 金 預 金　　　××

イ 〇：正しい。自己株式の取得は**ア**の選択肢の解説のとおり、株主資本から控除するため純資産の減少として処理される。次に、自己株式を売却（処分）した場合と株式を発行する場合とでは、会社法上とるべき手続きは同一であり、株式を発行する場合には資本金または資本準備金に関する事項を定めること以外に、両者の手続きに相違はない（どちらも純資産の増加の処理となる）。なお、当社の自己株式を売却した場合の仕訳を示すと、次のとおりである。

（借）現 金 預 金　　　×× （貸）自 己 株 式　　　××

ウ ✕：自己株式の消却とは、自己株式の効力を絶対的に消滅させることをいう。自己株式を消却した場合には、消却手続きが完了したときに、消却の対象となった自己株式の帳簿価額を**その他資本剰余金から減額**する。なお、当社の自己株式消却時の場合の仕訳を示すと、次のとおりである。

（借）その他資本剰余金　　　××× （貸）自 己 株 式　　　×××

エ ✕：**ウ**の解説の仕訳のとおり、**資産が減少することはない**。

よって、**イ**が正解である。

機械の取得原価（減価償却）に関する問題である。

定額法の減価償却費は「（取得原価－残存価額）÷耐用年数」と計算する。残存価額と耐用年数は与えられているため、ここから取得原価を推定する必要がある。

この機械は、取得日がX1年4月1日であるため、取得から当期首までに4年が経過した状態である（4年分の償却が済んでいる状態である）。したがって、取得原価は以下のとおり推定することができる（取得原価をXとおく）。

機械の取得原価：$X - \dfrac{4}{10}X = 216{,}000$

$\dfrac{6}{10}X = 216{,}000$

右余白の縦書き：解答・解説　4年度

$$X = 360,000円$$

よって、**ウ**が正解である。

第12問

CVP分析に関する問題である。

設問1 ● ● ●

直接原価計算を採用した場合の営業利益が問われている。営業利益までの計算を記すと次のとおりである。

売上高：1,000円/個×800個＝800,000円

変動費：(240＋160＋100＋100)円/個×800個＝480,000円

固定費：200,000円＋50,000円＝250,000円

営業利益：800,000円－480,000円－250,000円＝**70,000円**

よって、**ウ**が正解である。

設問2 ● ● ●

損益分岐点売上高が問われている。(設問1)の数値を用いて、「S－aS－FC＝P」より損益分岐点売上高を計算すると次のとおりである。

a ：480,000÷800,000＝0.6

S ：S－0.6S－250,000円＝0　∴S＝**625,000円**

よって、**ウ**が正解である。

第13問

資金繰り表に関する問題である。

設問1 ● ● ●

金融機関からの借り入れ金額が問われている。条件は、6月末の時点で資金残高が200万円を下回らないようにすることである。

与えられている条件より、表中のカッコ内を計算して対応する。

6月の現金仕入：1,600万円×60％＝960万円

支出合計：960＋540＝1,500万円

したがって、

　　前月末残高：470万円

　　収入合計：1,040万円

支出合計：1,500万円

となり、このままでは資金残高が10万円となる。

　そのため、必要な借入資金は次のとおりである（借入資金をXとする）。

　　借入資金：10＋X－0.05X≧200

　　　　　　　　　0.95X≧190

　　　　　　　　　　X≧200

　よって、**イ**が正解である。

設問2 ● ● ●

　当座の資金繰り対策が問われている。各状況を整理して対応する。

ア　**✕**：この取り組みにより、前月末残高（5月末残高）が620万円に増加する。しかし、これでは6月末残高は160万円となり、200万円を下回る。

イ　**✕**：この取り組みにより、6月の諸費用支払が140万円減少する。しかし、これでは6月末残高は150万円となり、200万円を下回る。

ウ　**〇**：正しい。この取り組みにより、6月の現金仕入れが480万円減少する。これにより、6月末残高は490万円となる。

エ　**✕**：この取り組みにより、5月の現金売上は300万円増加するが、6月の売掛金回収が300万円減少する。そのため、これでは6月末残高は10万円となり、200万円を下回る。

　よって、**ウ**が正解である。

第14問

　貸付金の現在価値に関する問題である。貸付金の元本は200万円、貸付期間は5年、毎年、貸付日から1年後より毎年10万円の利息が支払われる。問題より、貸付金の貸付日の現在価値を計算する際の割引率は4％である。タイムテーブルを図示すると、次のようになる。

	2021	2022	2023	2024	2025
現時点	6/30	6/30	6/30	6/30	6/30
現在価値	10万円	10万円	10万円	10万円	10万円
					200万円

　毎年6/30の10万円のキャッシュインフローと5年後の元本200万円を割引率4％で割り引いた金額が貸付金の現在価値の金額である（単位：万円）。ただし、5％の複利現価係数と年金現価係数はダミー資料であるため、計算上不要である。

$$現在価値 = \frac{10}{1.04} + \frac{10}{1.04^2} + \frac{10}{1.04^3} + \frac{10}{1.04^4} + \frac{10}{1.04^5} + \frac{200}{1.04^5}$$

$$= 10 \times 5年の年金現価係数4.452 + 200 \times 5年の複利現価係数0.822$$

$$= 44.52 + 164.4 = 208.92 \fallingdotseq \mathbf{208.9}（万円）$$

よって、**エ**が正解である。

第15問

　ポートフォリオの収益率の標準偏差に関する問題である。過去の本試験では、安全資産とリスク資産を保有した場合のポートフォリオの収益率の標準偏差が問われたことがあったが、本問では2つのリスク資産を保有した場合のポートフォリオの収益率の標準偏差が問われている。

> 　証券Yと証券Zを保有比率aとbで保有した場合の標準偏差（リスク）は次の計算式で表すことができる（数学的証明は割愛する）。
>
> 　標準偏差（リスク）$D_{YZ} = \sqrt{a^2\sigma_Y^2 + b^2\sigma_Z^2 + 2ab\rho_{YZ}\sigma_Y\sigma_Z}$
>
> 　σ_Y：証券Yの標準偏差　　　σ_Z：証券Zの標準偏差
>
> 　ρ_{YZ}：相関係数

　ここで、証券Yと証券Zの収益率の相関係数ρ_{YZ}はゼロであるため、上記計算式の第3項がゼロとなる。よって、

　標準偏差（リスク）$D_{YZ} = \sqrt{a^2\sigma_Y^2 + b^2\sigma_Z^2}$

と展開できる。問題の指示より、証券Yと証券Zに等額ずつ分散投資であるため、保有比率aとbはそれぞれ50%（0.5）となる。保有比率、および各証券の標準偏差を代入すれば、

$$標準偏差（リスク）D_{YZ} = \sqrt{0.5^2 \times 10^2 + 0.5^2 \times 20^2}$$
$$= \sqrt{25 + 100}$$
$$= \sqrt{125}$$
$$\fallingdotseq \mathbf{11.2}（\%）$$

となる。

よって、**ウ**が正解である。

第16問

　証券投資論に関する問題である。安全資産が存在しない場合、および安全資産が存在する場合における効率的フロンティア、投資家のポートフォリオ選択が求められている。

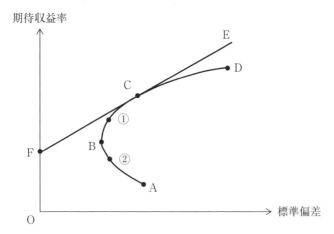

ア ✕：安全資産が存在しない場合、効率的フロンティアは**曲線BCD**である。グラフ上の①点と②点を比較すると、標準偏差は同じであるが、期待収益率は①点のほうが大きいことがわかる。通常の投資家（つまりリスク回避的投資家）は、リスクが同じであればより大きなリターンを選好するため、①点を選択することになる（曲線AB間は選択しない）。

イ ✕：安全資産が存在する場合、投資家のリスク回避度にかかわらず、リスク資産の最適なポートフォリオは点Cになる。安全資産が存在しない場合、投資家のリスク回避度に応じて、リスク資産の最適なポートフォリオは変化する。たとえば、投資家のリスク回避度が高い場合は、点Bに近いポートフォリオを選択する。

ウ ✕：安全資産が存在する場合で、資金の借入れができるならば、効率的フロンティアは曲線FCEである。よって、投資家のリスク回避度が高いほど、**点Fに近いポートフォリオを選択する**。

エ 〇：正しい。無リスク利子率で資金の借入れをして、その借り入れた資金で新たにリスク資産に投資する場合、効率的フロンティアは曲線CEとなる（借入ポートフォリオという）。ただし、本肢は資金の借入れができないことを条件としているため、投資家のポートフォリオ選択は曲線FC（貸付ポートフォリオという）に曲線CDを描いた曲線FCDとなる。

よって、**エ**が正解である。

サスティナブル成長率（Sustainable Growth Rate：SGR）に関する問題である。サスティナブル成長率とは、ROEと配当性向が一定であるとき、企業が外部資金を

調達せずに、内部留保のみを事業に投資して達成できる当期純利益および配当の成長率のことである。サスティナブル成長率は、配当割引モデルの成長率gとして用いられる。

$$\text{サスティナブル成長率} = ROE \times (1 - \text{配当性向}) = \frac{\text{当期純利益}}{\text{純資産}} \times (1 - \frac{\text{配当}}{\text{当期純利益}})$$
$$= \frac{200}{1,000} \times (1 - \frac{80}{200})$$
$$= 0.2 \times (1 - 0.4)$$
$$= 0.12(12\%)$$

あるいは、「内部留保率＝１－配当性向」の関係が成り立つため、サスティナブル成長率は、

$$ROE \times \text{内部留保率} = ROE \times \text{内部留保／当期純利益}$$
$$= \frac{200}{1,000} \times \frac{(200 - 80)}{200}$$

としても求めることができる。

よって、**エ**が正解である。

■■ 第18問 ■

　企業価値評価（株主価値評価）における割引超過利益モデルに関する問題である。DCF法による企業価値計算の場合、企業価値は将来CFを一定の資本コストで割り引いた現在価値合計となる。一方、割引超過利益モデル（残余利益モデルともいう）の場合、将来CFではなく、営業利益から自己資本コストを控除した残額（超過利益）を用いて計算するモデルである。各選択肢の解説の前に、割引超過利益モデルについて解説する。

・選択肢**ア**と**イ**の「クリーンサープラス関係」とは、貸借対照表における純資産の増減が損益計算書における当期純利益と一致するという関係である（配当金がある場合は、当期純利益から配当金を控除した金額）。サープラス（剰余金）に損益以外の項目が混入していない（クリーンである）という意味合いである。

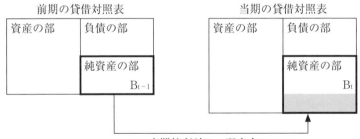

当期の純資産の額B_t－前期の純資産の額B_{t-1}＝当期純利益E_t－配当金D_t

当期純利益E_t－配当金D_t

・クリーンサープラス関係が成り立つ場合、割引超過利益モデルは、配当割引モデルより導出することができる。ここでは、Dを配当金の総額、rを自己資本コストとする。

＜配当割引モデル＞

$$株式価値 = \frac{D_1}{1+r} + \frac{D_2}{(1+r)^2} + \frac{D_3}{(1+r)^3} + \cdots + \frac{D_t}{(1+r)^t} + \cdots \ (\infty) \ \cdots ①式$$

クリーンサープラス関係が成り立つ場合、割引超過利益モデルは

＜割引超過利益モデル＞

$$株式価値 = B_0 + \frac{E_1 - rB_0}{1+r} + \frac{E_2 - rB_1}{(1+r)^2} + \cdots + \frac{E_t - rB_{t-1}}{(1+r)^t} + \cdots - \frac{B_t}{(1+r)^t} \ \cdots ②式$$

と表すことができる。

上記②式の第1項「B_0」は現時点（期首）の自己資本の簿価であり、第2項の分子「$E_1 - rB_0$」は当期純利益から自己資本コスト×期首の自己資本の簿価（自己資本コストに相当する金額）を控除した超過利益を表す。第2項以降は将来の超過利益を自己資本コストで割り引いている。最後の項は、tが無限とすれば、ゼロに近似できる。したがって、株式価値は、現在の自己資本簿価と、将来の各期間の超過利益の割引現在価値の合計として表すことができる。

ア ✗：配当性向が高いほど、当期純利益に占める配当金の割合が大きくなる。配当金が大きくなれば、当期純利益（超過利益）が少なくなるため、**株式価値は低くなる**。

イ ○：正しい。前述のとおり、クリーンサープラス関係が成り立つ場合、配当割引モデルから割引超過利益モデルを導出することができる。

ウ ○：正しい。将来の配当がゼロの場合でも、当期純利益が超過利益となるため、株式価値を求めることができる。

エ ○：正しい。割引超過利益モデルの計算式の分子「$E_t - _rB_{t-1}$」について、毎期の予想利益E_tが、自己資本B_{t-1}に自己資本コストrを乗じた額を上回るならば、株式価値は当期自己資本簿価B_0を上回る。

よって、**ア**が正解である。

第19問

非上場株式の株式評価の方法に関する問題である。株式価値の計算方法として、過去の蓄積を基礎とするコストアプローチ、将来の収益性を基礎とするインカムアプローチ、実際の売買市場（マーケット）で成立している類似企業の株価を基礎とするマーケットアプローチの3種類がある。

アプローチ	評価方法
コストアプローチ	純資産額法（修正簿価法等）
インカムアプローチ	収益還元法 DCF法
マーケットアプローチ	株式市価法 マルチプル法（類似業種比準法）

ア ○：正しい。時価純資産方式では、企業に帰属する個別の資産および負債を、再調達時価（再調達原価）に評価替えする方法である。再調達時価とは、ある資産を再取得する場合に必要とされる予想購入額のことである。

イ ✕：収益還元方式では、将来獲得すると期待される売上高ではなく、**利益あるいはキャッシュフローに基づき**、株式評価を行う方法である。

ウ ✕：簿価純資産方式は、会計上の帳簿価額で評価する方法である。会計上の帳簿価額は、**選択肢アの時価純資産方式に比べ、金額の客観性に乏しく、適切な評価を表しているとは言い難く、**一般的に適用されることがない。

エ ✕：類似業種比準方式では、事業内容が類似する上場企業の株価を基にし、評価しようとする企業の1株当たりの配当金額、利益金額、純資産価額の3要素（比準要素）を比較することで株式評価を行う方法である。この比準要素は、国税庁から「類似業種比準価額計算上の業種目及び業種目別株価等」として、通達で公表されている。

よって、**ア**が正解である。

第20問

先物取引および先渡取引に関する問題である。先物取引および先渡取引は、基本的には同じものであるが、通常見られる相違点は、主に取引方法と決済方法にある。両

者の相違点は、次の通りである。

先物取引と先渡取引の相違点

	先物取引	先渡取引
取引方法	取引所取引。取引条件は定型化されている。証拠金制度により、取引の履行が確保されるため、相対的に信用リスクが低い。	相対取引（特定の２者間で行われる取引）。取引条件は自由に決められる。証拠金は不要である。取引が履行されるかどうかの確実性がなく、相対的に信用リスクが高い。
決済方法	差金決済（反対売買により、現物の受け渡しをせず、売買金額の差額を精算する）。決済日前に決済されるのが一般的である。	現物決済（満期時に現物の受け渡しにより決済する）。特定の受渡日に決済される。

ア ✕：現物価格は現物市場で取引される価格、先物価格は先物市場で取引される価格であり、その差は満期日までの長さと関連がある。先物価格は、満期日（決済期限）が近づくにつれ、現物価格に近づく。

イ ✕：先物取引は、取引所取引のため、その契約の履行は取引所によって保証されている。その保証システムが、証拠金制度である。証拠金制度は、顧客がその債務を履行しない場合の担保として、最初に証拠金を取引所に預託する制度のことである。ただし、取引金額を上回る額の証拠金を差し入れる必要はない。

ウ 〇：正しい。先物取引における建玉（未決済の取引残高）は、清算値段（時価）により日々値洗い（１日の現物価格の値動きに応じて、証拠金を毎日調整するもの）が行われる。なお、値洗いによって証拠金不足が発生した場合には、不足金額を補填する必要がある。

エ ✕：先渡取引でもヘッジ目的に用いられる場合もある。

よって、**ウ**が正解である。

第21問

投資の評価基準に関する問題である。設備投資案の優劣を評価する方法には、次に示す方法がある。本来、設備投資の意思決定においては、時間価値を考慮した計算を行うべきである。しかし、実務上は、簡便性を考慮して時間価値を考慮しない計算方法を採用することも多い。

時間価値を考慮する方法	正味現在価値法（NPV） 内部収益率法（IRR） 収益性指数法（PI）
時間価値を考慮しない方法	回収期間法（PP）

a ✕：回収期間が長くとも、内部収益率が高くなる場合もある。回収期間法は回収期間後のキャッシュフローを無視しているため、回収期間後のキャッシュフローが大きい場合、内部収益率が高くなる。

b ◯：正しい。回収期間法は回収期間後のキャッシュフローを無視している。

c ✕：正味現在価値法ではなく、**内部収益率法の問題点**である。

d ◯：内部収益率法は、投資の利回り（％）を計算するものである。よって、内部収益率法による投資案の判定が企業価値の最大化をもたらすとは限らない。

よって、選択肢**b**と**d**の組み合わせが正しく、**エ**が正解である。

第22問

リスクがある場合の割引現在価値の計算に関する問題である。確実性等価法とリスク調整割引率法の特徴が問われている。

【確実性等価法】

確実性等価法とは、本来的には不確実性のある期待キャッシュフローをその不確実性の度合いによって、確実性の高いキャッシュフローに変換し正味現在価値を求める手法である。すなわち、分子のキャッシュフローでリスクを考慮するため、期待キャッシュフローは低く見積もられる。

確実性等価係数をa_t($t = 1, 2, \cdots, n$)、不確実な期待キャッシュフローを$E(CF)$、要求利益率（リスクフリーレート）をrとすれば、確実性等価法の計算式は次のようになる。確実性等価係数a_tは、不確実な期待キャッシュフローを確実性の高いキャッシュフローに変換する機能をもち、0から1の間の値をとる。a_tはリスクが高いほど小さな値をとり、リスクが低いときは大きな値をとる。

$$NPV = \frac{a_1 E(CF_1)}{(1+r)^1} + \frac{a_2 E(CF_2)}{(1+r)^2} + \cdots \frac{a_n E(CF_n)}{(1+r)^n} - 投資額 \quad \cdots ①式$$

【リスク調整割引率法】

リスク調整割引率法とは、期待キャッシュフローの不確実性を割引率で考慮して正味現在価値を求める手法である。つまり、分母の割引率に不確実性に応じたリスクプレミアムを加算して割引率を大きくする。なお、リスクプレミアムをγとすれば、リスク調整割引率法の計算式は次のようになる。

$$NPV = \frac{E(CF_1)}{(1+r+\gamma)^1} + \frac{E(CF_2)}{(1+r+\gamma)^2} + \cdots \frac{E(CF_n)}{(1+r+\gamma)^n} - 投資額 \quad \cdots ②式$$

ア ✕：確実性等価法で用いられる割引率は、**リスクのない収益率**（たとえば、リスクフリーレート）である。資本コストはリスクのある収益率を意味する。

イ ✕：確実性等価法は、分子のキャッシュフローでリスクを考慮する。リスク（不確実性）が大きいほど、期待キャッシュフローは低く見積もられる。

ウ ✕：リスク調整割引率法は、分母の割引率に不確実性に応じたリスクプレミアムを加算して割引率を大きくする方法である。

エ ◯：正しい。リスク調整割引率法におけるリスクプレミアムγは不確実性が高ければ高いほど、大きな値をとる。

よって、**エ**が正解である。

第23問

配当政策に関する問題である。配当性向の特徴が問われている。

$$配当性向 = \frac{1\,株当たり配当金額}{1\,株当たり当期純利益}$$

ア ✕：1株当たり配当金額（分子）を一定にした場合、当期の利益額（分母）が変われば、配当性向も変わる。

イ ◯：正しい。自己資本配当率が一定の場合、当期の利益額が変わったとしても、1株当たり配当金額は変わらない。

ウ ✕：残余（当期の利益額 − 内部留保額）を配当する場合、当期の利益額（分母）が変われば、配当性向も変わる。

エ ✕：配当性向が一定の場合、当期の利益額（分母）が変われば、1株当たり配当金額（分子）も変わる。したがって、自己資本配当率の分子が変わるため、自己資本配当率は変わる。

よって、**イ**が正解である。

令和3年度問題

令和 3 年度 問題

第1問　★重要★

　得意先への商品販売時に、10日以内に代金を支払えば2％の支払いを免除するという条件をつけた。その売掛金200,000円を販売から9日目に回収するにあたり、条件を適用した金額を小切手で受け取った。

　この取引を仕訳するとき、以下の空欄に入る語句として、最も適切なものを下記の解答群から選べ。

（借）現　　　　金　196,000　　　（貸）売　掛　金　　200,000
　　　売上　□□□□　　4,000

［解答群］
ア　控除
イ　値引
ウ　割引
エ　割戻

第2問

　本支店会計において本店集中計算制度を採用している場合、A支店がB支店の買掛金200,000円について小切手を振り出して支払ったときの本店の仕訳として、最も適切なものはどれか。

ア　（借）A支店　200,000　　　（貸）B支店　　200,000
イ　（借）B支店　200,000　　　（貸）A支店　　200,000
ウ　（借）買掛金　200,000　　　（貸）当座預金　200,000
エ　（借）現　金　200,000　　　（貸）買掛金　　200,000

第3問

　備品（取得日：2018年4月1日、取得原価：800,000円、償却方法：定率法（償却率年25％）、記帳方法：間接法、決算日：3月31日）が不要となり、2020年3月31日に除却した。なお、除却した備品の評価額は250,000円である。

固定資産除却損として、最も適切なものはどれか。

ア　100,000円

イ　150,000円

ウ　200,000円

エ　250,000円

第4問　　★ 重要 ★

のれんに関する記述として、最も適切なものはどれか。

ア　自己創設のれんは、時価などの公正な評価額が取得原価となる。

イ　のれんは取得後、5年以内に毎期均等額以上の償却をしなければならない。

ウ　のれんは被買収企業の超過収益力に対する対価とみなされる。

エ　負ののれんが発生した場合、当該期間の特別損失とする。

第5問

負債性引当金は、債務である引当金（債務性引当金）と債務ではない引当金（非債務性引当金）に分類される。非債務性引当金として、最も適切なものはどれか。

ア　貸倒引当金

イ　修繕引当金

ウ　商品保証引当金

エ　退職給付引当金

第6問

収益に関する記述として、最も適切なものはどれか。

ア　検収基準は、契約の解消や返品リスクがない場合に採用される。

イ　出荷基準よりも収益認識のタイミングが早いのは、引渡基準である。

ウ　長期請負工事については、工事進行基準を適用しなければならない。

エ　販売基準は実現主義に基づいている。

以下の資料は、工場の2020年8月分のデータである。このとき、製造指図書#11の製造原価として、最も適切なものを下記の解答群から選べ。

【資　料】

(1)　直接費

製造指図書	材料消費量	材料単価	直接作業時間	賃　率
#11	50kg	@ 2,000 円／kg	100 時間	1,200 円／時
#12	60kg	@ 2,500 円／kg	110 時間	1,200 円／時
#13	50kg	@ 1,500 円／kg	90 時間	1,200 円／時

(2)　間接費

製造間接費実際発生額：150,000円

製造間接費は直接作業時間を配賦基準として各製品に配賦する。

［解答群］
ア　220,000円
イ　228,000円
ウ　270,000円
エ　337,000円

ある製品の販売予算が以下のとおり編成されており、第3四半期（Q3）の実際販売量が1,600個、実際販売価格が98,000円であった。予算実績差異を販売数量差異と販売価格差異に分割する場合、最も適切な組み合わせを下記の解答群から選べ。

	Q 1	Q 2	Q 3	Q 4	合　計
販売量（個）	1,200	1,400	1,500	1,400	5,500
売上高（万円）	12,000	14,000	15,000	14,000	55,000

第9問　★重要★

キャッシュフローが増加する原因として、最も適切なものはどれか。

ア　売掛金の減少

イ　仕入債務の減少

ウ　棚卸資産の増加

エ　長期借入金の減少

第10問

以下の貸借対照表と損益計算書について、下記の設問に答えよ。

貸借対照表（2020年度末）　　　（単位：千円）

資産の部		負債および純資産の部	
Ⅰ　流動資産	40,000	Ⅰ　流動負債	50,000
現金・預金	2,000	Ⅱ　固定負債	34,000
受取手形・売掛金	16,000		
商品	9,000	Ⅲ　純資産	
その他	13,000	株主資本	66,000
Ⅱ　固定資産	110,000		
資産合計	150,000	負債・純資産合計	150,000

損益計算書（2020 年度）（単位：千円）

Ⅰ	売上高	220,000
Ⅱ	売上原価	160,000
	売上総利益	60,000
Ⅲ	販売費・一般管理費	50,000
	営業利益	10,000
Ⅳ	営業外収益	
	受取利息	4,000
Ⅴ	営業外費用	
	支払利息	1,000
	その他	1,000
	税引前当期純利益	12,000
	法人税、住民税及び事業税	3,600
	当期純利益	8,400

設問1 ● ● ● ● ★重要★

固定長期適合率として、最も適切なものはどれか。

ア 60%

イ 110%

ウ 150%

エ 167%

設問2 ● ● ●

インタレスト・カバレッジ・レシオとして、最も適切なものはどれか。

ア 4倍

イ 11倍

ウ 12倍

エ 14倍

第11問

建築物の設計・監理を請け負っている当社では、顧客から依頼のあった案件について建物の設計を行っている途中で、給料100,000円および出張旅費30,000円が当該案件のために費やされた。

この取引を仕訳する場合、借方科目として、最も適切なものはどれか。

ア　役務原価
イ　役務収益
ウ　仕入
エ　仕掛品

第12問 　★重要★

損益分岐点分析に関する記述として、最も適切なものはどれか。

ア　安全余裕率は、損益分岐点比率の逆数である。
イ　損益分岐点売上高は、固定費を変動費率で除して求められる。
ウ　損益分岐点比率は小さいほど赤字になるリスクが低い。
エ　目標利益達成のための売上高は、損益分岐点売上高に目標利益を加算して求められる。

第13問

　9月中に予定される取引に関する以下の資料に基づき、最低限必要な借入額として、最も適切なものを下記の解答群から選べ。なお、当月中現金残高が300,000円を下回らないようにするものとする。

【資　料】
　9月1日　月初の現金有高は400,000円である。
　　　6日　売掛金300,000円を現金で回収する。
　　　12日　備品1,200,000円を購入し、代金のうち半額は現金で支払い、残額は翌月15日に支払う。
　　　21日　商品を1,400,000円で販売する。代金は掛けとし、回収は翌月20日とする。
　　　25日　給料その他の費用500,000円を現金で支払う。

［解答群］
ア　200,000円
イ　400,000円
ウ　700,000円
エ　1,300,000円

資金調達の形態に関する記述として、最も適切なものはどれか。

ア　株式分割は直接金融に分類される。

イ　減価償却は内部金融に分類される。

ウ　増資により発行した株式を、銀行が取得した場合は間接金融となる。

エ　転換社債は、株式に転換されるまでは負債に計上されるので間接金融である。

第15問　　★重要★

以下の資料に基づき計算した加重平均資本コストとして、最も適切なものを下記の解答群から選べ。なお、負債は社債のみで構成され、その時価は簿価と等しいものとする。

【資　料】

株価	1,200 円
発行済株式総数	50,000 株
負債簿価	4,000 万円
自己資本コスト	12%
社債利回り	4 %
実効税率	30%

［解答群］

ア　6.16%

イ　7.68%

ウ　8.32%

エ　8.80%

第16問

株主還元に関する記述として、最も適切なものはどれか。

ア　自社株買いを行うと当該企業の純資産が減少するため、売買手数料をゼロとすれば株価は下落する。

イ　自社株買いを行った場合、取得した株式は一定期間のうちに消却しなければなら

ない。

ウ 配当額を自己資本で除した比率を配当利回りという。

エ 有利な投資機会がない場合には、余裕資金を配当などで株主に還元することが合理的である。

第17問

モジリアーニとミラーの理論（MM理論）に基づく資本構成に関する記述として、最も適切なものはどれか。

ア 自己資本による資金調達はコストが生じないので、負債比率が低下するほど企業価値は増加する。

イ 倒産リスクの高低は、最適資本構成に影響する。

ウ 負債比率が非常に高くなると、自己資本コストは上昇するが、負債コストは影響を受けない。

エ 法人税が存在する場合、負債比率の水準は企業価値に影響しない。

第18問　★重要★

当社はある機械の導入の可否を検討している。この機械の導入により、年間の税引前キャッシュフローが2,000万円増加する。また、この機械の年間減価償却費は900万円である。

実効税率を30%とするとき、年間の税引後キャッシュフローはいくらになるか。最も適切なものを選べ。

ア　870万円

イ　1,100万円

ウ　1,670万円

エ　2,030万円

第19問　★重要★

当社は設備Ａ〜Ｃの導入を比較検討している。各設備の初期投資額ならびに将来の現金収支の現在価値合計は、以下のとおりである。

正味現在価値法を用いた場合と、収益性指数法を用いた場合で、それぞれどの設備への投資案が採択されるか。最も適切な組み合わせを下記の解答群から選べ。なお、設備Ａ〜Ｃへの投資案は相互排他的である。

	初期投資額	現金収支の現在価値合計
設備A	4,400万円	5,500万円
設備B	5,000万円	6,500万円
設備C	4,000万円	5,400万円

[解答群]

ア　正味現在価値法：設備A　　収益性指数法：設備B

イ　正味現在価値法：設備A　　収益性指数法：設備C

ウ　正味現在価値法：設備B　　収益性指数法：設備B

エ　正味現在価値法：設備B　　収益性指数法：設備C

オ　正味現在価値法：設備C　　収益性指数法：設備B

第20問

　証券投資論に関する記述として、最も適切なものはどれか。ただし、投資家はリスク回避的であり、安全資産への投資が可能であるものとする。

ア　効率的フロンティアは、安全資産より期待収益率の高いポートフォリオすべての集合である。

イ　最適なリスク・ポートフォリオは、投資家のリスク回避度とは無関係に決まる。

ウ　市場ポートフォリオの有するリスクは、すべてのポートフォリオの中で最小である。

エ　投資家のリスク回避度は、効率的フロンティアに影響を与える。

第21問

　D社の次期（第2期）末の予想配当は1株44円である。その後、次々期（第3期）末まで1年間の配当成長率は10%、それ以降の配当成長率は2%で一定とする。なお、自己資本コストは10%である。

　当期（第1期）末の理論株価として、最も適切なものはどれか。

ア　540円

イ　590円

ウ　645円

エ　649円

　　企業価値評価に関する以下の文章を読んで、下記の設問に答えよ。

　　企業価値評価の代表的な方法には、将来のフリー・キャッシュフローを　　A　　で
割り引いた現在価値（事業価値）をベースに企業価値を算出する方法である
　　B　　法や、会計利益を割り引いた現在価値をベースとして算出する収益還元法が
ある。
　　これらとは異なるアプローチとして、類似の企業の評価尺度を利用して評価対象
企業を相対的に評価する方法がある。利用される評価尺度は　　C　　と総称され、例
としては株価と1株当たり純利益の相対的な比率を示す　　D　　や、株価と1株当た
り純資産の相対的な比率を示す　　E　　がある。

設問1 ● ● ●　　**★重要★**

　　文中の空欄AとBに入る語句および略語の組み合わせとして、最も適切な
ものはどれか。

ア　A：加重平均資本コスト　　　　B：DCF
イ　A：加重平均資本コスト　　　　B：IRR
ウ　A：自己資本コスト　　　　　　B：DCF
エ　A：自己資本コスト　　　　　　B：IRR

設問2 ● ● ●

　　文中の空欄C〜Eに入る語句および略語の組み合わせとして、最も適切な
ものはどれか。

ア　C：ファンダメンタル　　　D：EPS　　　E：BPS
イ　C：ファンダメンタル　　　D：PER　　　E：PBR
ウ　C：マルチプル　　　　　　D：EPS　　　E：BPS
エ　C：マルチプル　　　　　　D：PER　　　E：PBR

オプションに関する記述として、最も適切なものはどれか。

ア　他の条件を一定とすれば、権利行使価格が高いほどコール・オプションの価値は高くなる。

イ　他の条件を一定とすれば、行使までの期間が短いほどコール・オプションの価値は高くなる。

ウ　プット・オプションを購入した場合、権利行使価格を大きく超えて原資産価格が上昇しても、損失の額はプレミアムに限定される。

エ　プット・オプションを売却した場合、権利行使価格を大きく下回って原資産価格が下落しても、損失の額はプレミアムに限定される。

令和 **3** 年度
解答・解説

nswers

問題	解答	配点	正答率※	問題		解答	配点	正答率※	問題		解答	配点	正答率※
第1問	ウ	4	B	第10問	(設問1)	イ	4	A	第18問		ウ	4	A
第2問	イ	4	C		(設問2)	エ	4	C	第19問		エ	4	B
第3問	ウ	4	B	第11問		エ	4	E	第20問		イ	4	D
第4問	ウ	4	C	第12問		ウ	4	B	第21問		イ	4	D
第5問	イ	4	D	第13問		ウ	4	B	第22問	(設問1)	ア	4	B
第6問	エ	4	C	第14問		イ	4	A		(設問2)	エ	4	C
第7問	ウ	4	A	第15問		ウ	4	A	第23問		ウ	4	B
第8問	エ	4	B	第16問		エ	4	C					
第9問	ア	4	A	第17問		イ	4	B					

※TACデータリサーチによる正答率
　正答率の高かったものから順に、A～Eの5段階で表示。
A：正答率80％以上　　　　　B：正答率60％以上80％未満　　　C：正答率40％以上60％未満
D：正答率20％以上40％未満　E：正答率20％未満

解答・配点は一般社団法人日本中小企業診断士協会連合会の発表に基づくものです。

第1問

商品販売に関する問題である。掛販売の場合、通常、現金販売に比べて決済期日までの金利分だけ販売価格が高くなっている。そこで、代金の決済期日前に掛代金の決済が行われた場合に、実際の支払日から決済期日までの金利相当額を差し引くことがある。このことを「現金割引」という。そして、当問題のように売掛金の決済を支払期日より早く行った得意先に対して、掛代金を一部免除した場合には「売上割引」勘定で処理する。

したがって、この取引の仕訳は次のとおりである。

(借)現 金	196,000	(貸)売 掛 金	200,000
売 上 割 引	4,000		

よって、**ウ**が正解である。

第2問

本支店会計に関する問題である。企業の規模が大きくなり販売地域が広がると、各地に支店を設けるようになる。その結果、本支店間あるいは支店相互間の取引が必然的に生じることから、これらの取引を処理する会計制度が必要となる。さらには、本店独自の業績と支店独自の業績を調べて、これらを合算して会社全体の経営成績や財政状態を明らかにすることも必要になる。これにこたえる会計制度が本支店会計である。

本支店会計では、支店独自の業績を把握するため、本店だけでなく支店にも独立した帳簿組織(仕訳帳や総勘定元帳など)を備えて取引を記帳することになる。

本問で問われているのは、本支店間で生じる取引ではなく、支店間取引における処理方法である。

支店が複数ある時は、必然的に支店間取引が行われるが、その際の計算方法として、①支店分散計算制度と②本店集中計算制度がある。

①支店分散計算制度とは、それぞれの支店が本店を経ずに直接処理する方法である。この方法によると、各支店では、各支店間の取引が明確となり、支店独自の管理に役立つ一方、本店が支店間の取引を把握できないので、本店の経営管理が不十分になる。この処理方法では、各支店には本店勘定と各支店勘定が設けられる。

②本店集中計算制度とは、支店間の取引を本店と各支店の取引とみなして処理する

方法である。この方法によると、本店は支店間のすべての取引を把握できるため、本店が支店を管理するうえで望ましい。この処理方法では、各支店では本店勘定のみ設けられ、本店では各支店の勘定が設けられる。

本問における、「A支店がB支店の買掛金200,000円について小切手を振り出して支払ったとき」の仕訳として、①支店分散計算制度と②本店集中計算制度の取引および仕訳を比較すると、次のようになる。

① 支店分散計算制度

本 店 の 仕 訳	仕訳なし			
A 支 店 の 仕 訳	（ B 支 店 ）	200,000	（当座預金）	200,000
B 支 店 の 仕 訳	（ 買 掛 金 ）	200,000	（ A 支 店 ）	200,000

② 本店集中計算制度

本 店 の 仕 訳	（ B 支 店 ）	200,000	（ A 支 店 ）	200,000
A 支 店 の 仕 訳	（ 本 店 ）	200,000	（当座預金）	200,000
B 支 店 の 仕 訳	（ 買 掛 金 ）	200,000	（ 本 店 ）	200,000

よって、**イ**が正解である。

第3問

固定資産の除却に関する問題である。除却とは、固定資産を事業の用途から取り除くことをいう。固定資産を除却したときは、除却した固定資産の処分可能価額（評価額）を見積り、貯蔵品（資産）として計上する。また、処分可能価額と除却時の帳簿価額との差額は固定資産除却損（費用）とする。

したがって、除却時の仕訳は次のとおりである。

（借）	減価償却累計額 ※1	350,000	（貸）	備	品	800,000
	貯 蔵 品	250,000				
	固定資産除却損 ※2	200,000				

※1：800,000×0.25＋（800,000－800,000×0.25）×0.25＝350,000
※2：貸借差額

よって、**ウ**が正解である。

第4問

　のれんに関する問題である。のれんとは、人や組織などに関する優位性を源泉として、当該企業の平均収益力が同種の他の企業のそれより大きい場合におけるその超過収益力である。

　超過収益力には、自己の活動から生じる「自己創設のれん（経営者の恣意的な判断に基づいて価値を評価し表現したもの）」と他の企業から事業の全部または一部を有償で取得したことから生じる「有償取得のれん」が存在する。このうち、自己創設のれんは、恣意性の介入により資産として客観的な評価ができないため、貸借対照表への計上が認められない。一方で、有償取得のれんは、その取得の際に対価を支払うことから恣意性を排除し客観的な評価ができるため、貸借対照表への計上が行われる。

ア　✕：自己創設のれんは上記のとおり、恣意性の介入により資産として客観的な評価ができないため、貸借対照表への計上が認められない（時価を取得原価とすることなどはない）。

イ　✕：資産計上されたのれんは、**20年以内**のその効果が及ぶ期間にわたって、定額法その他の合理的な方法により規則的に償却する。

ウ　〇：正しい。買収にあたっては受け入れた資産および引き受けた負債の公正な評価額（時価）と対価との差額をのれんまたは負ののれんとして認識する。そして、このN のれんは超過収益力の対価として支払ったとみなすことができる。

エ　✕：負ののれんが発生した場合には、原則として、当該期間の**特別利益**に表示する。

　よって、**ウ**が正解である。

第5問

　負債性引当金に関する問題である。引当金とは、将来の費用・損失を当期の費用・損失としてあらかじめ見越し計上したときの貸方項目である。引当金は、将来の特定の費用または損失であって、その発生が当期以前の事象に起因し、発生の可能性が高

く、かつ、その金額を合理的に見積もることができる場合に計上される。

　引当金は、その性質の違いから評価性引当金と負債性引当金に分けられ、負債性引当金はさらに、債務性の観点から債務である引当金（債務性引当金）と債務ではない引当金（非債務性引当金）とに細分類される。

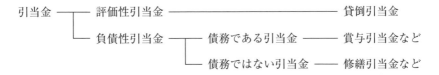

ア　✕：貸倒引当金は**評価性引当金**に該当する。

イ　〇：正しい。修繕引当金は負債性引当金のうち非債務性引当金に該当する。

ウ　✕：商品保証引当金は負債性引当金のうち**債務性引当金**に該当する。

エ　✕：退職給付引当金は負債性引当金のうち**債務性引当金**に該当する。

　よって、**イ**が正解である。

第6問

　収益に関する問題である。我が国においては、企業会計原則に「売上高は、実現主義の原則に従い、商品等の販売又は役務の給付によって実現したものに限る。（企業会計原則　第二　損益計算書原則　三　B)」とされているものの、収益認識に関する包括的な会計基準はこれまで開発されてこなかった。これに対して、令和3年4月1日以降開始する連結会計年度及び事業年度の期首から「収益認識基準」が適用されることとなった。

　「収益認識基準」では、財務諸表間の比較可能性（とくに国際的な比較可能性）の観点から、IFRS第15号「顧客との契約から生じる収益」の定めを基本的にすべて取り入れるとともに、日本での適用上の課題に対処するために、国際的な比較可能性を大きく損なわせない範囲で、代替的な取扱いが追加的に定められている。当該収益に関する会計処理については、「企業会計原則」に定めがあるが、「収益認識基準」が優先して適用される。

ア　✕：検収基準とは、得意先に商品が到着した後、得意先における検収の終了をもって売上を計上する基準である。これは、通常、**契約の解消や返品リスクがある場合に採用される。**

イ　✕：出荷基準とは、商品の出荷（発送）という事実にもとづき売上を計上する基準であり、引渡基準とは、商品が得意先に到着した時点で売上を計上する基準である。よって、**収益認識のタイミングが早いのは出荷基準である。**

ウ ✕：「収益認識基準」では、工事契約については、**履行義務の充足に係る進捗度を合理的に見積もることができる場合には、工事進行基準が適用され、履行義務の充足に係る進捗度を合理的に見積もることができない場合には、工事原価回収基準が適用される**こととしている。

エ ◯：正しい。選択肢のとおりである。

よって、**エ**が正解である。

第7問

個別原価計算に関する問題である。製造指図書＃11の製造原価のみが問われているため、＃11のみ計算すればよい。本問では製造間接費の配賦がポイントとなる。

直接材料費：50kg×2,000円/kg＝100,000円

直接労務費：100時間×1,200円/時＝120,000円

製造間接費は、直接作業時間が配賦基準のため、

150,000÷（100時間＋110時間＋90時間）＝500円/時

＃11の間接費：500円/時×100時間＝50,000円

したがって、100,000＋120,000＋50,000＝**270,000（円）**となる。

よって、**ウ**が正解である。

なお、原価計算表を完成させると、以下のようになる。

原価計算表　　　　　　　（単位：円）

	＃11	＃12	＃13	合　計
直接材料費	100,000	150,000	75,000	325,000
直接労務費	120,000	132,000	108,000	360,000
製造間接費	50,000	55,000	45,000	150,000
合　計	270,000	337,000	228,000	835,000

第8問

売上高差異分析に関する問題である。売上高差異は、数量差異と価格差異に分けてとらえる。当問題では、販売量および販売価格に係るデータが実際と予算でそれぞれ与えられているため、計算式あるいは図を用いて計算すればよい。

なお、売上高差異は、実際値から計画値を差し引いているため、プラスの場合には有利差異、マイナスの場合には不利差異となる。

数量差異については「（実際販売数量－計画販売数量）×計画販売価格」より、

数量差異：（1,600個－1,500個）×10万円＝**1,000万円（有利差異）** となる。

なお、計画販売価格は、販売予算売上高15,000万円÷1,500個＝10万円で計算する。

価格差異については「（実際販売価格－計画販売価格）×実際販売数量」より、

価格差異：（9.8万円－10万円）×1,600個＝**△320万円（不利差異）** となる。

また、売上高差異分析の計算は、次の図を用いて計算できる。

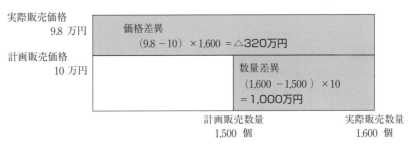

よって、**エ**が正解である。

第9問

キャッシュフローに関する問題である。キャッシュフローが増加する要因が問われている。

ア ○：正しい。売掛金は簿記上、借方項目（運用形態）であり、借方の減少はキャッシュにプラスに作用する。

イ ✕：仕入債務は簿記上、貸方項目（調達源泉）であり、貸方の減少はキャッシュに**マイナスに作用する。**

ウ ✕：棚卸資産は簿記上、借方項目であり、借方の増加はキャッシュに**マイナスに作用する。**

エ ✕：長期借入金の減少は、財務活動によるキャッシュフローとして**マイナスに作用する。**

よって、**ア**が正解である。

第10問

経営分析に関する問題である。

設問1 ●●●

固定長期適合率が問われている。固定長期適合率とは、1年超の期間運用が行われる固定資産が、長期資本（自己資本と固定負債）によってどの程度カバーされているのかを示す指標であり、次のように計算される。

$$\text{固定長期適合率：} \frac{\text{固定資産}}{\text{自己資本＋固定負債}} \times 100 = \frac{110,000}{66,000 + 34,000} \times 100$$

$$= 110 \text{（％）}$$

よって、**イ**が正解である。

設問2 ●●●

インタレスト・カバレッジ・レシオが問われている。インタレスト・カバレッジ・レシオとは、事業利益（＝営業利益＋受取利息・配当金）が支払利息などの金融費用の何倍であるかを表す指標であり、次のように計算される。

$$\text{インタレスト・カバレッジ・レシオ：} \frac{\text{事業利益}}{\text{金融費用}} = \frac{10,000 + 4,000}{1,000}$$

$$= 14 \text{（倍）}$$

よって、**エ**が正解である。

第11問

サービス業（役務収益と役務原価の計上基準）に関する問題である。商品の販売ではなく、純粋に役務（サービス）の提供を営む企業においては、サービスの提供にともなう役務収益を、サービスの提供が終了したときに役務収益（収益）として計上する。したがって、サービスの提供が終了していない段階での対価の受取額は前受金（負債）として処理する。また、そのサービスの提供に係る役務費用は、役務原価（費用）として計上する。なお、役務収益の計上時点と役務費用の計上時点にタイムラグがある場合、役務費用は、いったん仕掛品（資産）として計上する。その後、役務収益との直接的または期間的な対応関係をもって役務原価（費用）に振り替える。

したがって、この取引の仕訳は次のとおりである。

（借）仕　掛　品	130,000	（貸）現　金　預　金	130,000

よって、**エ**が正解である。

第12問

損益分岐点分析に関する問題である。

ア　×：損益分岐点比率は「損益分岐点売上高÷売上高×100」で計算することができ、安全余裕率は「（売上高−損益分岐点売上高）÷売上高×100」で計算することができる。計算式のとおり、**安全余裕率は損益分岐点比率の逆数ではない。**

イ　×：損益分岐点売上高は、**固定費を（1−変動費率）で除して求められる。**

ウ ○：正しい。損益分岐点が低ければ低いほど、企業はより少ない売上高で利益を得ることができる。損益分岐点比率が低いということは、その企業が売上高の減少というリスクに強いということになる。

エ ×：目標利益達成のための売上高は、（固定費＋目標利益）を（1－変動費率）で除して求められる。

よって、**ウ**が正解である。

第13問

最低限必要な借入額（資金繰り）に関する問題である。9月中に予定されている現金取引を時系列で整理すると次のとおりである。

日付	現金収支	現金残高
9月1日	－	400,000円
6日（売掛金回収）	＋300,000円	700,000円
12日（備品代金の支払い）	△600,000円 ※ ※1,200,000÷2＝600,000円	100,000円 ※300,000円を下回るため、200,000円の借入が必要になる
12日（借入による現金補充をしたものと仮置きする）	＋200,000円	300,000円
25日（給料等の支払い）	△500,000円	△200,000円 ※300,000円を下回るため、500,000円の借入が必要になる

上記より、**700,000円**（200,000＋500,000）を借り入れておけば当月中現金残高が300,000円を下回らないと計算することができる。

よって、**ウ**が正解である。

第14問

資金調達の形態に関する問題である。企業の資金調達構造は、次のように分類できる。

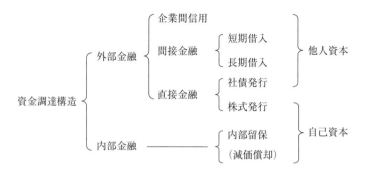

ア ✕：株式分割とは、1株を2株に、あるいは2株を3株にというように、既存の株式を細分化して従来よりも多数の株式にすることをいう。株式の分割は、会社の純資産額を変動させずに株式数を増加させるものであり、新株がいわば無償で発行されることになる。つまり、株式分割により発行済株式数が増加しても、**企業にとって新たな資金調達とはならない。**

イ 〇：内部金融とは、企業内部で資金調達する方法のことであり、これには利益の内部留保と減価償却がある。なお、減価償却の手続きは、適正な期間損益計算を行うためのものであるが、財務的には減価償却費に相当する現金支出は存在しない。したがって、減価償却費相当額が企業内部に留保されることになり、同額の資金調達効果が生じる。ただし、減価償却による資金は、固定資産が流動資産化したものなので、新たな資金を調達したわけではない。よって、厳密には内部金融に減価償却を含めないこともある。

ウ ✕：増資により発行した株式を、銀行が取得した場合は**直接金融**となる。

エ ✕：**転換社債は直接金融**となる。なお、転換社債が株式に転換されるということは、社債が資本金（もしくは資本剰余金）に転換されたと見ることができる。この場合、**社債権者の権利行使（転換社債の株式への転換）は企業にとって新たな資金調達とはならない。**

よって、**イ**が正解である。

第15問

加重平均資本コスト（WACC）に関する問題である。問題でデータが与えられているため、計算式に代入して求める。

負債と株主資本の資本構成を図示すると、次のようになる。

	負債簿価（＝時価） 　　　　　　4,000万円	税引前コスト　　　4%
総資産 　　10,000万円	株主資本時価 　　　　　　6,000万円※ ※1,200円×50,000株	株主資本コスト　12%

負債は節税効果を考慮する必要がある。

税引後の負債コスト＝税引前コスト4%×（1－0.3）＝2.8%となる。

また、負債と株主資本の割合は、負債＝4,000÷10,000＝0.4、株主資本＝6,000÷10,000＝0.6となる。

したがって、

加重平均資本コスト＝2.8%×0.4＋12%×0.6　＝**8.32%**となる。

よって、**ウ**が正解である。

第16問

株主還元に関する問題である。自社株買いと配当政策が問われている。

ア　✕：余裕資金を用いて自社株買いを行えば、市場に流通する株式数は減るが、自社株購入に用いた現金だけ資産の価値も減るので、企業が理論価格で自社株買いを行う限り、株式数の減少と資産（現金）の減少が見合って**株価は変化しない**。

イ　✕：自社株買いを行った場合、自社株の保有期間は法令で定められていないため、1度取得したら自社株として保有し続けることが可能である。

ウ　✕：配当利回りとは、**1株当たり配当金を株価で除した比率（配当金総額を株式時価総額で除した比率）**をいう。

エ　〇：正しい。完全資本市場を前提とした場合には、配当政策は株主価値に影響しない。しかし、資本市場が不完全で非効率であれば、余裕資金の配当は、株主と経営者の間のエージェンシー・コストの低下などにつながり、株主価値にプラスであるため合理的であると言える。

よって、**エ**が正解である。

第17問

モジリアーニとミラーの理論（MM理論）に基づく資本構成に関する問題である。

法人税を考慮した場合は、負債利用による節税効果のため、負債比率が高まるほど節税効果の現在価値分だけ企業価値は高くなる。なお、節税効果の現在価値は「負債額×税率」で求められる。

【MMの修正命題】
　法人税が存在するとき、負債利用による節税効果のため、財務レバレッジ（負債比率）が高まるほど節税効果の現在価値分だけ企業価値は上昇する。
　VL＝VU＋t×DL
　VU：借入のない企業価値（U社）　　t：税率
　VL：借入のある企業価値（L社）　　DL：負債額
※なお、U社とL社は資本構成以外の条件がすべて同様であると仮定する。

　上記を前提とすると負債比率が高まれば高まるほど企業価値が高まることになる。しかし、現実には負債利用にはさまざまな問題点がある。

　一般に、資本構成に占める負債の比率が高くなるほど、営業利益が落ち込んだ場合には支払利息の大幅な負担による赤字転落や債務不履行、倒産可能性の増加が生じる危険性が高まる。企業の負債比率が高まれば、債権者は債務不履行や倒産リスクを考慮し、より高い利子率を要求するようになる。また同様に、株主資本コストも、倒産リスクを反映し、上昇することになる。

　そこで、負債の利用に歯止めをかけ、より現実的な結論を得ようとする考え方があり、その一つに倒産コストを導入するものがある。

　倒産コストとは、企業が倒産した場合に発生するさまざまなコストの総称であり、直接的コストと間接的コストに分けられる。直接的コストとは、倒産手続きの過程で生じる諸費用で、たとえば、弁護士、会計士、管財人への手数料や報酬などが該当する。他方、間接コストには、企業資産の経済的価値以下での処分による損失、企業間信用の低下等が該当する。

　ここで、トレードオフモデルとは、負債がもたらす節税効果によるプラスの効果と倒産コストによるマイナスの効果のトレードオフ関係で最適資本構成が決定されるというモデルである。負債を利用することで、節税効果を享受できるが、ある一定以上に負債比率が上昇すると債権者は倒産リスクを感知するため、倒産コストの期待値も高まる。

　したがって、負債増加は節税効果によるプラスの効果と倒産コストによるマイナスの効果を同時にもたらすので、ある負債比率で最適な資本構成が存在すると考えられる。このトレードオフ関係をグラフ化すると次のようになる。

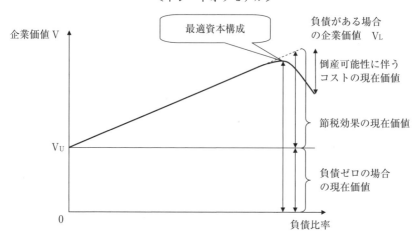

<＜トレードオフモデル＞

ア ×：自己資本による資金調達においてもコストは発生する。また、MM理論の命題では、法人税が存在しない市場では、企業価値はその資本構成に依存しないとしており、MM理論の修正命題では、法人税が存在するとき、負債利用による節税効果のため、財務レバレッジ（負債比率）が高まるほど節税効果の現在価値分だけ企業価値は上昇するとしている。

イ ○：正しい。負債比率が高まると倒産リスクが高まり倒産コストの期待値が高まっていくと考える。これにより、負債がもたらす節税効果によるプラスの効果と倒産コストによるマイナスの効果とがつり合う最適資本構成が存在するという考え方がある。

ウ ×：負債比率が非常に高くなると、倒産リスクも高まることから、**債権者も株主もより高いリターンを求めるようになる**（負債コストも影響を受ける）。

エ ×：法人税が存在するとき、負債利用による節税効果のため、**負債比率が高まるほど節税効果の現在価値分だけ企業価値は上昇する**。

よって、**イ**が正解である。

第18問

　税引後キャッシュフローに関する問題である。税引後キャッシュフローは次のとおり計算される。

【経済的効果（税引後CF）の算式（税金あり）】
経済的効果＝（CIF－COF）×（1－税率）＋減価償却費×税率
もしくは
経済的効果＝（CIF－COF－減価償却費）×（1－税率）＋減価償却費

上記計算式より、税引後CFを計算する。

CIF－COF（税引前CF）：2,000

減価償却費：900

税引後CF：2,000×（1－0.3）＋900×0.3＝**1,670万円**

もしくは

税引後CF：(2,000－900)×（1－0.3）＋900＝**1,670万円**

よって、**ウ**が正解である。

第19問

設備投資案の評価に関する問題である。正味現在価値法と収益性指数法が問われている。

正味現在価値法とは、投資によって生じる年々の正味キャッシュフローを割引いた現在価値合計から、投資額を差し引いて、その投資案の正味現在価値を計算し、正味現在価値のより大きな投資案を有利と判定する方法をいう。

当問題の各設備投資案の正味現在価値を計算すると次のとおりである。

設備A：5,500－4,400＝1,100万円

設備B：6,500－5,000＝1,500万円

設備C：5,400－4,000＝1,400万円

上記より、正味現在価値が最も大きい設備Bが採択される。

次に収益性指数法とは、収益性指数（投資によって生じる年々の正味キャッシュフローの現在価値合計÷投資額（の現在価値））を計算し、収益性指数のより大きな投資案を有利と判定する方法である。

当問題の各設備投資案の収益性指数を計算すると次のとおりである。

設備A：5,500÷4,400＝1.25

設備B：6,500÷5,000＝1.3

設備C：5,400÷4,000＝1.35

上記より、収益性指数が最も大きい設備Cが採択される。

よって、「正味現在価値法：設備B、収益性指数法：設備C」の組み合わせが正しく、**エ**が正解である。

　証券投資論に関する問題である。投資家はリスク回避的であり、安全資産への投資が可能であることが前提である。

　市場にリスク資産と安全資産が存在する場合、リスク資産と安全資産を組み合わせたポートフォリオは、安全資産のリスクとリターン（期待収益率と標準偏差）を表す点（無リスクなので縦軸上の点）から、リスク資産のポートフォリオ上の点を結ぶ直線で示されることが知られている。したがって、下図のように直線Ⅰから直線Ⅳの範囲でさまざまな組み合わせが考えられる。ただし、直線Ⅰより上方ないし直線Ⅳより下方は、リスク資産のみから構成される投資可能領域（ポートフォリオ）と交わらないため、実行不可能である。

安全資産を組み入れたポートフォリオ

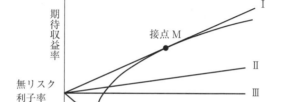

　さらに、こうした直線（リスク資産のポートフォリオと安全資産の組み合わせ）をみていくと、同じリスク（標準偏差）でより高いリターン（期待収益率）をもたらすのは接線Ⅰ（安全資産を表す点からリスク資産のみの効率的フロンティアに引いた接線）であることが分かる。

　すなわち、効率的ポートフォリオの集合は接線Ⅰであり、この接線Ⅰが市場にリスク資産と安全資産が存在する場合の効率的フロンティアとなる。そして、この接点Mがリスク資産のみから構成される唯一の効率的ポートフォリオとなり、Mはとくに接点ポートフォリオとよばれる。その他の効率的ポートフォリオはすべて、この接点ポートフォリオと安全資産の組み合わせ（接線Ⅰ上の点）であり、接点ポートフォリオ

以外のリスク資産のみから構成されるポートフォリオ（M以外の曲線上の点）は、いずれも効率的ではない。

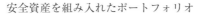

安全資産を組み入れたポートフォリオ

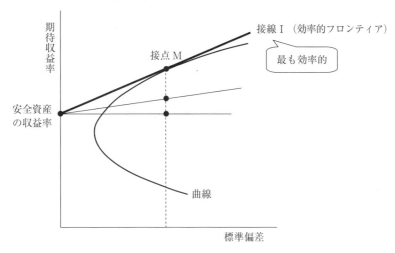

ア ✕：効率的フロンティアは、安全資産より期待収益率が高いポートフォリオの集合体のうち、上記接線I上のポートフォリオに限定される。

イ ○：正しい。最適なリスク・ポートフォリオは投資家のリスク回避度とは無関係に上記接点Mで決定される。

ウ ✕：接点Mを市場ポートフォリオというが、上記図からもわかるように市場ポートフォリオよりもリスクが低いポートフォリオは無数に存在する。

エ ✕：効率的フロンティアは、投資家のリスク回避度に影響なく接線Iで決定される。

よって、**イ**が正解である。

第21問

配当割引モデルに関する問題である。当期（第1期）末の理論株価が問われている。
当問題では配当割引モデルの定率成長モデルが問われている。配当割引モデルの定率成長モデルは次のとおり計算することができる。

【配当割引モデル（定率成長モデル）の計算式】

$$V = \frac{D}{r-g}$$

V：理論株価（株式価値）　　D：1年後の配当金　　r：株主の期待収益率

g：配当金の成長率（ただし、r＞g）

この式を用いて、当期末の理論株価を計算する。

＜次期末以降の継続価値を算出するパターン＞

次期末から見た1年後の次々期末の配当を用いて、次期末時点から見た次期末以降の継続価値を算出し、各時点の価値を当期末時点の価値に割り引いて計算する。

次期末の予想配当：44円

次期末以降の継続価値：$\dfrac{44 \times (1 + 0.1)}{0.1 - 0.02} = 605$円

当期末の価値（理論株価）：$(44 + 605) \div (1 + 0.1) = $ **590円**

なお、図示すると次のとおりである。

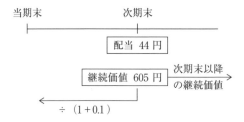

＜次々期末以降の継続価値を算出するパターン＞

次々期末から見た1年後の配当を用いて、次々期末時点から見た次々期末以降の継続価値を算出し、各時点の価値を当期末時点の価値に割り引いて計算する。

次期末の予想配当：44円

次々期末の予想配当：$44 \times (1 + 0.1) = 48.4$円

次々期末以降の継続価値：$\dfrac{48.4 \times (1 + 0.02)}{0.1 - 0.02} = 617.1$円

当期末の価値（理論株価）：$44 \div (1 + 0.1) + (48.4 + 617.1) \div (1 + 0.1)^2 = $ **590円**

なお、図示すると次のとおりである。

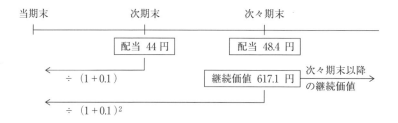

よって、**イ**が正解である。

第22問

　企業価値評価に関する問題である。株式価値の計算方法として、過去の蓄積を基礎とするコストアプローチ、将来の収益性を基礎とするインカムアプローチ、実際の売買市場（マーケット）で成立している類似企業の株価を基礎とするマーケットアプローチの3種類がある。

アプローチ	評価方法
コストアプローチ	純資産額法（修正簿価法等）
インカムアプローチ	収益還元法 DCF法
マーケットアプローチ	株式市価法 マルチプル法

設問1　● ● ●

　将来のフリー・キャッシュフローを現在価値に割り引いて企業価値を算出する方法を**DCF法（空欄B）**という。そして、この時の割引率には**加重平均資本コスト（空欄A）**を用いる。

　よって、「A：加重平均資本コスト、B：DCF」の組み合わせが正しく、**ア**が正解である。

設問2　● ● ●

　類似の企業の評価尺度を利用して評価対象企業を相対的に評価する方法をマルチプル法という。そして、マルチプル法で利用される評価尺度を**マルチプル（空欄C）**という。また、株価と1株当たり純利益の相対的な比率を示す指標を**PER（空欄D）**といい、株価と1株当たり純資産の相対的な比率を示す指標を**PBR（空欄E）**という。

　よって、「C：マルチプル、D：PER、E：PBR」の組み合わせが正しく、**エ**が正解である。

オプションに関する問題である。オプションの価値（価格）は、原資産価格、原資産価格の変動性（ボラティリティ）、権利行使価格、満期日までの残存期間などの要因で決定される。

まず、オプションの価値（オプションプレミアム）は、本質的価値と時間価値で構成される。本質的価値は、オプションを権利行使して得られる利益のことであり、時間価値は、満期までに原資産の価格が上昇することで、オプションの価値が上昇することを期待した部分である（時間価値は時間の経過とともに減衰し、満期時においてゼロとなる）。コール・オプションの価値（本質的価値）は、次のように表すことができる。

コール・オプションの本質的価値＝max(S−K,0)

※S：原資産の価格、K：権利行使価格、max（ , ）は括弧内のどちらか大きい方という意味である。

たとえば、コール・オプションの場合、原資産の価格Sが権利行使価格Kを上回っていれば、権利行使をしてS−Kの利益を得ることができる。一方、SがKを下回っていると、権利行使をしても利益を得ることができないため、権利を放棄する、つまりゼロとなる。

次に、各要因とコール・オプションの価値の関係は次のとおりである。

決定要因		決定要因が変化したときの効果	
		コール	プット
① 原資産価格	↑	↑	↓
② 権利行使価格	↑	↓	↑
③ 原資産価格の変動性	↑	↑	↑
④ 残存期間	↑	↑	↑
⑤ 無リスク利子率（金利）	↑	↑	↓

① 原資産価格
- コール・オプションは権利行使価格で原資産を買うことができる権利であるから、原資産価格が上昇すれば、コール・オプションの価値は上昇する。
- プット・オプションは権利行使価格で原資産を売ることができる権利であるから、原資産価格が下落（上昇）すれば、プット・オプションの価値は上昇（下落）する。

② 権利行使価格
- コール・オプションの場合、権利行使価格が高いものほど利益をあげる可能性が

小さくなるため、コール・オプションの価値は下落する。

●プット・オプションの場合、権利行使価格が高いものほど利益をあげる可能性が大きくなるため、プット・オプションの価値は上昇する。

③　原資産価格の変動性

原資産価格の変動性をボラティリティといい、権利行使時の原資産価格のとりうる値の分布のバラツキをいう（ボラティリティの測度としては分散や標準偏差が利用される）。ボラティリティが高いと、オプション保有者の期待収益率は高まるため、オプションの価値は上昇する。

④　残存期間

満期までの期間が長く（短く）なれば、オプションに占める時間価値の増加（減少）によりオプションの価値は上昇（下落）する。

⑤　無リスク利子率（金利）

●無リスク利子率が高いということは、（時間価値を考慮した場合）コール・オプションの買い手が権利行使時に支払う権利行使価格の割引現在価値を低めるということなので、コール・オプションの価値は上昇する。

●無リスク利子率が高いということは、（時間価値を考慮した場合）プット・オプションの買い手からみると、将来受け取れる権利行使価格の割引現在価値を低めることになり、プット・オプションの価値は下落する。

ア　✕：権利行使価格が高いほど**コール・オプションの**価値は低くなる。

イ　✕：行使までの期間が短いほど**コール・オプションの価値は低くなる。**

ウ　○：正しい。選択肢のとおりである。プット・オプションの買い手側（実線）と売り手側（破線）の損益図は次のとおりである。たとえば、満期日（1年後）にT株1株を権利行使価格120円で売ることのできる権利であり、オプションプレミアムは20円とする。

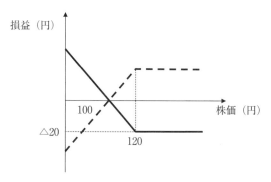

上記の図からもわかるとおり、プット・オプションを購入した場合、権利行使価格を大きく超えて原資産価格が上昇しても、損失の額はプレミアム（上記図では20円）に限定される。

エ　✕：上記の図からもわかるとおり、プット・オプションを売却した場合、権利行使価格を下回って原資産価格が下落するほど損失が大きくなり、**プレミアム額以上の損失になることがある。**

　よって、**ウ**が正解である。

令和 2 年度問題

uestions

第1問　　★ 重要 ★

　以下の資料に基づき、当期の売上原価として、最も適切なものを下記の解答群から選べ。

【資　料】

　期首商品棚卸高　　100,000円

　当期商品純仕入高　750,000円

　期末商品棚卸高

	帳簿棚卸数量	実地棚卸数量	原　価	正味売却価額
A商品	120 個	110 個	@ 1,200 円	@ 1,000 円
B商品	80 個	70 個	@ 1,000 円	@ 1,100 円

　なお、棚卸減耗損および商品評価損はすべて売上原価に含める。

[解答群]

ア　626,000円

イ　648,000円

ウ　663,000円

エ　670,000円

第2問　　★ 重要 ★

　A社の決算整理前残高試算表は以下のとおりであった。貸倒引当金の仕訳として、最も適切なものを下記の解答群から選べ。

　なお、当社では売上債権の残高に対し5%の貸倒れを見積もり、差額補充法を採用している。

決算整理前残高試算表（一部）（単位：千円）

現金預金	11,000	支払手形	3,000
受取手形	3,000	買掛金	16,000
売掛金	21,000	貸倒引当金	300
棚卸資産	16,000	借入金	17,000
建物	53,000	資本金	50,000

[解答群]

ア （借）貸倒引当金　　　　 300　（貸）貸倒引当金戻入　　 300
　　　貸倒引当金繰入　 1,050　　　　貸倒引当金　　　 1,050

イ （借）貸倒引当金　　　　 300　（貸）貸倒引当金戻入　　 300
　　　貸倒引当金繰入　 1,200　　　　貸倒引当金　　　 1,200

ウ （借）貸倒引当金繰入　　 750　（貸）貸倒引当金　　　　 750

エ （借）貸倒引当金繰入　　 900　（貸）貸倒引当金　　　　 900

第3問

　有価証券の期末評価に関する記述として、最も適切なものはどれか。なお、有価証券の時価は著しく下落していないものとする。

ア　子会社株式および関連会社株式は、取得原価をもって貸借対照表価額とする。

イ　その他有価証券は、時価をもって貸借対照表価額とし、評価差額は当期の損益として処理する。

ウ　売買目的有価証券は、時価をもって貸借対照表価額とし、評価差額は貸借対照表の純資産の部に直接計上する。

エ　満期保有目的の債券を額面金額と異なる価額で取得した場合、取得価額と債券の額面金額との差額の性格が金利の調整と認められるときは、額面金額をもって貸借対照表価額とする。

第4問　★重要★

　B社は、定時株主総会において、繰越利益剰余金を原資として6,000千円の配当を行うことを決議した。なお、配当を行う前の資本金は18,000千円、資本準備金は1,000千円、利益準備金は3,000千円であった。

　このとき、積み立てるべき法定準備金として、最も適切なものはどれか。

ア　資本準備金：100千円　　利益準備金：300千円

イ　資本準備金：100千円　　利益準備金：600千円

ウ　利益準備金：500千円

エ　利益準備金：600千円

第5問　　★重要★

　固定資産X、YおよびZに減損の兆候がみられる。以下の表に基づき、減損損失を認識すべきものの組み合わせとして、最も適切なものを下記の解答群から選べ。

（単位：千円）

	帳簿価額	割引前将来キャッシュ・フローの総額	正味売却価額	使用価値
X	2,800	2,400	1,300	1,400
Y	3,100	3,300	2,700	2,300
Z	4,500	3,900	3,400	3,200

[解答群]

ア　X、YおよびZ

イ　XおよびY

ウ　XおよびZ

エ　YおよびZ

第6問

　C社はD社を吸収合併し、新たにC社株式200千株を交付した。合併期日におけるC社の株価は1株当たり400円であった。D社の貸借対照表は以下のとおりであった。商品の時価は24,000千円であったが、その他の資産および負債の時価は帳簿価額と同額である。C社は増加すべき株主資本のうち、2分の1を資本金、残りを資本準備金とした。

　合併に伴い発生するのれんと、増加する資本金の金額の組み合わせとして、最も適切なものを下記の解答群から選べ。

D社貸借対照表		（単位：千円）	
資産の部		負債・純資産の部	
現金預金	10,000	買掛金	35,000
売掛金	35,000	資本金	30,000
商品	20,000	資本剰余金	15,000
建物	40,000	利益剰余金	25,000
資産合計	105,000	負債・純資産合計	105,000

[解答群]

ア　のれん： 6,000千円　　資本金：37,000千円

イ　のれん： 6,000千円　　資本金：40,000千円

ウ　のれん：10,000千円　　資本金：37,000千円

エ　のれん：10,000千円　　資本金：40,000千円

第7問　　★重要★

リース取引の借手側の会計処理と開示に関する記述として、最も不適切なものはどれか。

ア　オペレーティング・リース取引については、通常の賃貸借取引にかかる方法に準じて会計処理を行う。

イ　オペレーティング・リース取引のうち解約不能のものにかかる未経過リース料は、原則として注記する。

ウ　ファイナンス・リース取引にかかるリース債務は、支払期限にかかわらず、固定負債に属するものとする。

エ　ファイナンス・リース取引にかかるリース資産は、原則としてその内容および減価償却の方法を注記する。

第8問

無形固定資産の会計に関する記述として、最も適切なものはどれか。

ア　自社が長年にわたり築き上げたブランドにより、同業他社に比べ高い収益性を獲得している場合には、これを無形固定資産に計上することができる。

イ　自社の研究開発活動により特許権を取得した場合には、それまでの年度に支出さ

れた研究開発費を戻し入れ、無形固定資産として計上しなければならない。

ウ　受注制作のソフトウェアの制作費は、請負工事の会計処理に準じて処理され、無形固定資産に計上されない。

エ　のれんとして資産計上された金額は、最長10年にわたり、規則的に償却される。

第9問

商品19,800円（税込）を仕入れ、代金は現金で支払った。このときの仕訳として、最も適切なものはどれか。なお、消費税率は10%とし、仕訳は税抜方式によるものとする。

ア　（借）仕　入　　　18,000　　（貸）現　金　　　19,800
　　　　　仮払消費税　　1,800

イ　（借）仕　入　　　18,000　　（貸）現　金　　　19,800
　　　　　租税公課　　　1,800

ウ　（借）仕　入　　　19,800　　（貸）現　金　　　19,800

エ　（借）仕　入　　　19,800　　（貸）現　金　　　18,000
　　　　　　　　　　　　　　　　　　仮受消費税　　1,800

第10問

以下の資料に基づき、当月の直接労務費の金額として、最も適切なものを下記の解答群から選べ。なお、予定賃率を用いて賃金消費額を計算している。

【資　料】
1．本年度の直接工の予定就業時間は12,000時間、直接工賃金予算額は14,400,000円である。
2．当月の直接工の直接作業時間は1,100時間、間接作業時間は100時間、手待時間は200時間であった。

[解答群]
ア　1,200,000円
イ　1,320,000円
ウ　1,440,000円
エ　1,680,000円

以下の資料に基づき計算された財務比率の値として、最も適切なものを下記の解答群から選べ。

【資　料】

貸借対照表　　　　　　（単位：千円）

資産の部		負債・純資産の部	
現金預金	25,000	買掛金	40,000
売掛金	22,000	長期借入金	70,000
商品	13,000	資本金	50,000
建物	80,000	資本剰余金	10,000
備品	60,000	利益剰余金	30,000
資産合計	200,000	負債・純資産合計	200,000

損益計算書　（単位：千円）

売上高	250,000
売上原価	180,000
売上総利益	70,000
販売費および一般管理費	40,000
営業利益	30,000
支払利息	4,000
税引前当期純利益	26,000
法人税等	8,000
当期純利益	18,000

［解答群］

ア　固定長期適合率は155.6％である。

イ　自己資本比率は25％である。

ウ　自己資本利益率（ROE）は30％である。

エ　当座比率は117.5％である。

自己株式を現金で取得し、消却したとする。他の条件を一定とすると、これによる財務比率への影響に関する記述として、最も適切なものの組み合わせを

下記の解答群から選べ。

a 固定比率は不変である。
b 自己資本利益率は向上する。
c 総資本利益率は不変である。
d 流動比率は悪化する。

[解答群]
ア aとb　　イ aとc　　ウ bとc　　エ bとd　　オ cとd

第13問 ★重要★

キャッシュ・フロー計算書に関する記述として、最も適切なものはどれか。

ア 「営業活動によるキャッシュ・フロー」の区分では、主要な取引ごとにキャッシュ・フローを総額表示しなければならない。
イ 受取利息及び受取配当金は、「営業活動によるキャッシュ・フロー」の区分に表示しなければならない。
ウ キャッシュ・フロー計算書の現金及び現金同等物期末残高と、貸借対照表の現金及び預金の期末残高は一致するとは限らない。
エ 法人税等の支払額は、「財務活動によるキャッシュ・フロー」の区分に表示される。

第14問

活動基準原価計算（ABC）に関する記述として、最も適切なものはどれか。

ア ABCがいわゆる伝統的原価計算と大きく異なる点は、ABCが製造直接費に焦点を当てていることである。
イ ABCで用いられる「活動」は、コスト・ドライバーと呼ばれる。
ウ ABCは、少品種大量生産型の製造業に適した原価計算である。
エ ABCを意識した経営管理手法を活動基準経営管理（ABM）という。

第15問 ★重要★

オプションに関する記述として、最も適切なものはどれか。

問題

2年度

ア 「10,000円で買う権利」を500円で売ったとする。この原資産の価格が8,000円にな
って買い手が権利を放棄すれば、売り手は8,000円の利益となる。

イ 「オプションの買い」は、権利を行使しないことができるため、損失が生じる場合、
その損失は最初に支払った購入代金（プレミアム）に限定される。

ウ オプションにはプットとコールの2種類あるので、オプション売買のポジション
もプットの売りとコールの買いの2種類ある。

エ オプションの代表的なものに先物がある。

第16問

金利に関する記述として、最も不適切なものはどれか。

ア 金融機関に資金を預けたときに、利息を支払わなければならない場合、これをマ
イナス金利という。

イ 政策によってマイナス金利が現実のものとなるのは、日本の場合、市中銀行によ
る日銀預け金に限定される。

ウ マイナス金利によって、借入金利が下がり、企業の資金調達がしやすくなると期
待される。

エ マイナス金利によるデフレーションに備えて、提供する財やサービスの価格を見
直すことが求められる。

第17問　★重要★

割引率が8%の場合の年金現価係数は、以下のとおりである。2期末のキャッ
シュ・フローを現在価値にする複利現価係数として、最も適切なものを下記の
解答群から選べ。

期間	年金現価係数
1	0.9259
2	1.7833
3	2.5771
4	3.3121
5	3.9927

[解答群]

ア　0.7938

イ　0.8574

ウ　0.9259

エ　1.7833

第18問

　ある企業において、業績が良くなると判断される新情報が市場に流れた場合（t＝0）、投資家が合理的に行動するならば、この企業の株式の超過収益率をグラフにしたものとして、最も適切なものはどれか。

ア

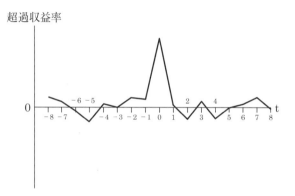

イ

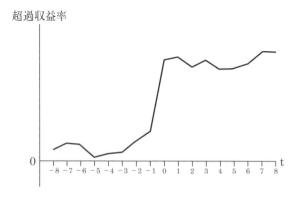

ウ

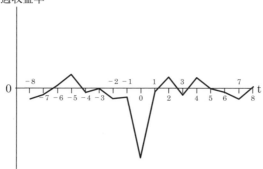

エ

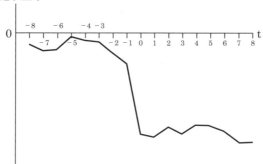

　E社株とF社株の2銘柄を用いてポートフォリオを作ることを考えている。
それぞれのリターンの平均が、E社株10%、F社株18%のとき、ポートフォリ
オの期待収益率を16%にするにはE社株の投資比率を何%にするべきか。最も
適切なものを選べ。

ア　16%

イ　25%

ウ　35%

エ　75%

額面が121万円、償還までの期間が2年の割引債の市場価格が100万円であった。このとき、この割引債の複利最終利回り（年）として、最も適切なものはどれか。

ア　10.0%

イ　11.0%

ウ　17.4%

エ　21.0%

　★ 重要 ★

G社の前期と当期の損益計算書は以下のように要約される。下記の設問に答えよ。

損益計算書　　　　（単位：万円）

	前期		当期	
売 上 高		2,500		2,400
変 動 費	1,250		960	
固 定 費	1,000	2,250	1,200	2,160
営 業 利 益		250		240

設問1 ● ● ●

当期の損益分岐点売上高として、最も適切なものはどれか。

ア　1,600万円

イ　1,800万円

ウ　2,000万円

エ　3,000万円

設問2 ● ● ●

G社の収益性に関する記述として、最も適切なものはどれか。

ア　損益分岐点比率が前期よりも悪化したのは、売上の減少による。

イ　損益分岐点比率が前期よりも悪化したのは、変動費率の上昇による。

問題

2年度

ウ 損益分岐点比率が前期よりも改善されたのは、固定費の増加による。

エ 損益分岐点比率が前期よりも改善されたのは、変動費率の上昇による。

第22問

以下の文章は、資本資産評価モデル（CAPM）について説明したものである。文中の空欄A～Dに入る語句の組み合わせとして、最も適切なものを下記の解答群から選べ。

　　 A 　　は、安全証券と 　 B 　 との組み合わせによる 　 C 　 の期待値と標準偏差との関係を、 　 B 　 との関連において明らかにするものである。しかしながら、　 A 　 の対象は 　 C 　 に限定されるから、それ以外のポートフォリオや証券について、その期待収益率とリスクとの関係を 　 A 　 から知ることはできない。それを明らかにするのが 　 D 　 であり、資本資産評価モデル（CAPM）にほかならない。

[解答群]

ア　A：資本市場線　　　　　　　B：効率的ポートフォリオ
　　C：市場ポートフォリオ　　　D：証券市場線

イ　A：資本市場線　　　　　　　B：市場ポートフォリオ
　　C：効率的ポートフォリオ　　D：証券市場線

ウ　A：証券市場線　　　　　　　B：効率的ポートフォリオ
　　C：市場ポートフォリオ　　　D：資本市場線

エ　A：証券市場線　　　　　　　B：市場ポートフォリオ
　　C：効率的ポートフォリオ　　D：資本市場線

第23問　　★重要★

当期首に1,500万円をある設備（耐用年数３年、残存価額ゼロ、定額法）に投資すると、今後３年間にわたって、各期末に900万円の税引前キャッシュフローが得られる投資案がある。税率を30％とすると、この投資によって各期末の税引後キャッシュフローはいくらになるか。最も適切なものを選べ。

ア　180万円

イ　280万円

ウ　630万円

エ　780万円

　モジリアーニとミラーの理論（MM理論）に関する記述として、最も適切な
ものはどれか。ただし、投資家は資本市場において裁定取引を円滑に行うこと
ができ、負債にはリスクがなく、法人税は存在しないと仮定する。

ア　PER（株価収益率）は、無借金の方が負債で資金調達するよりも小さくなる。

イ　企業の最適資本構成は存在し、それによって企業価値も左右される。

ウ　企業の市場価値は、当該企業の期待収益率でキャッシュフローを資本化すること
　　によって得られ、資本構成に影響を与える。

エ　投資のための切捨率は、資金調達方法にかかわりなく、一意に決定される。

令和 **2** 年度
解答・解説

nswers

令和 **2** 年度
解答

問題	解答	配点	正答率※	問題	解答	配点	正答率※	問題		解答	配点	正答率※
第1問	エ	4	D	第10問	イ	4	C	第19問		イ	4	B
第2問	エ	4	C	第11問	エ	4	B	第20問		ア	4	C
第3問	ア	4	C	第12問	エ	4	C	第21問	(設問1)	ウ	4	A
第4問	ウ	4	B	第13問	ウ	4	C		(設問2)	ア	4	B
第5問	ウ	4	B	第14問	エ	4	C	第22問		イ	4	D
第6問	イ	4	C	第15問	イ	4	B	第23問		エ	4	B
第7問	ウ	4	B	第16問	エ	4	C	第24問		エ	4	C
第8問	ウ	4	C	第17問	イ	4	B					
第9問	ア	4	B	第18問	ア	4	D					

第1問

　売上原価に関する問題である。売上原価の算定は、決算整理において次の順番で行われる。

① 期末商品帳簿棚卸高の計算（実地の状態を反映する前の帳簿上の売上原価の計算）

② 棚卸減耗損の計算

③ 商品評価損の計算

　①により、帳簿上の売上原価を計算し、②③により実地の状況を売上原価に反映する（②③のうち、売上原価に該当する部分を原価にプラスする）。

　本問では、「棚卸減耗損および商品評価損はすべて売上原価に含める」と指示があるため、①により計算した帳簿上の売上原価に、②棚卸減耗損と③商品評価損をプラスして、最終的な売上原価を計算する。

① 期末商品帳簿棚卸高（帳簿上の売上原価）の計算

　　売上原価は、次のとおり計算する。

　　売上原価＝期首商品帳簿棚卸高＋当期商品仕入高－期末商品帳簿棚卸高

　　なお、期末商品帳簿棚卸高は、「期末帳簿棚卸数量×原価」により計算する。

　　（帳簿上の）売上原価＝100,000＋750,000－（120個×@1,200円＋80個×@1,000円）

　　＝626,000円となる。

期首商品棚卸高	売上原価
100,000 円	
当期商品純仕入高	（626,000 円）
	期末商品棚卸高
	A商品 144,000円 　120 個×@1,200円
750,000 円	B商品 80,000円 　80 個×@1,000円

②③ 棚卸減耗損・商品評価損の計算

　　企業では、期末に実地棚卸（現物商品を実際に数えること）を行う。これにより、紛失や盗難など販売以外の原因で帳簿数量より減少していることが判明する場合がある。この商品の減少のことを、棚卸減耗といい、棚卸減耗の数量に仕入単価を乗じた金額を棚卸減耗損という。

　　また、実際にある在庫品の中には、期末の正味売却価額（時価）が取得原価と比

較して下落しているものもある。そうした場合、正味売却価額で評価し、下落部分を商品評価損として処理する。なお、棚卸資産の収益性が低下する要因には、破損など物理的な劣化に基づく収益性の低下、ライフサイクルの変化など経済的な劣化に基づく収益性の低下、市場の需給変化に基づく収益性の低下などがある。

計算する際は、次のようなボックス図を描くと、効率的に解ける。

＜A商品＞

棚卸減耗損＝＠原価×（帳簿棚卸数量－実地棚卸数量）
　　　　　＝1,200×（120個－110個）＝12,000円
商品評価損＝（＠原価－＠時価）×実地棚卸数量
　　　　　＝（1,200－1,000）×110個＝22,000円

＜B商品（正味売却価額が原価を上回っているため、商品評価損は発生していない）＞

棚卸減耗損＝1,000×（80個－70個）＝10,000円

したがって、売上原価＝626,000＋12,000＋22,000＋10,000＝**670,000円**となる。
よって、**エ**が正解である。

第2問

貸倒引当金に関する問題である。差額補充法とは、貸倒見積高と決算整理前の貸倒引当金残高との差額を計上する方法である。また、債権には、いくつかの区分（一般債権、貸倒懸念債権、破産更生債権等）があるが、一般債権については、貸倒実績率

（債権全体または同種・同類の債権ごとに、債権の状況に応じて求めた過去の貸倒実績などの合理的な基準）により貸倒見積高を算定する。

$$\boxed{貸倒見積高＝債権金額 × 貸倒実績率}$$

＜貸倒見積高＞

●売上債権の残高

　決算整理前残高試算表より、売上債権（商品売買から生じる債権）に該当するのは、受取手形と売掛金であることを読み取る。そして、それらを合算することで残高を計算する。

　　売上債権：3,000（受取手形）＋21,000（売掛金）＝24,000（千円）

●貸倒見積高

　売上債権の残高に貸倒実績率（５％）を乗じて計算する。

　　24,000×5％＝1,200（千円）

＜差額補充法による貸倒引当金の繰入＞

　「貸倒見積高＞決算整理前貸倒引当金残高」であるため、差額の不足分を追加計上する。

| （借）貸倒引当金繰入 | 900※ | （貸）貸倒引当金 | 900 |

※1,200（貸倒見積高）－300（決算整理前貸倒引当金残高）＝900

よって、**エ**が正解である。

第3問

　有価証券の期末評価に関する問題である。有価証券は保有目的により４つに分類され、その保有目的別に表示科目や期末評価などが規定されている。

保有目的	表示科目	B/S 表示区分	期末評価	評価差額の取扱い
売買目的	有価証券	流動資産	時価	営業外損益
満期保有目的	投資有価証券※	固定資産	取得原価又は償却原価	－
子会社・関連会社	関係会社株式	固定資産	取得原価	－
その他	投資有価証券※	固定資産	時価	純資産

　　※１年以内に満期の到来する社債は、有価証券として流動資産に区分される。

ア　○：正しい。選択肢のとおりである。

イ ✕：その他有価証券については、事業遂行上等の必要性から直ちに売買・換金を行うことには制約を伴う要素もあり、評価差額を直ちに当期の損益として処理することは適切ではないため、**評価差額を当期の損益として処理することなく、純資産の部に記載する。**

ウ ✕：売買目的有価証券は、売却することについて事業遂行上等の制約がなく、時価の変動にあたる評価差額が企業にとっての財務活動の成果と考えられることから、**その評価差額は当期の損益として処理する。**

エ ✕：満期保有目的の債券については、時価が算定できるものであっても、満期まで保有することによる約定利息および元本の受取りを目的としており、満期までの金利変動による価格変動リスクを認める必要がないことから、原則として、**取得原価または償却原価法に基づいて算定された価額をもって貸借対照表価額とする。**

よって、**ア**が正解である。

第4問

剰余金の配当による準備金の計上額を計算する問題である。剰余金の配当を行う場合には、

① 配当額の10分の1

② 資本金の4分の1 −（配当時の法定準備金（資本準備金＋利益準備金））

のいずれか小さい金額を、資本準備金または利益準備金に積み立てる必要がある（その他資本剰余金を配当原資とする場合には資本準備金を積み立て、その他利益剰余金を配当原資とする場合には利益準備金を積み立てることとなる）。

本問では繰越利益剰余金を原資として配当を行うため、**利益準備金を積み立てる**ことになり、その金額は次のとおり計算される。

① 配当額 $6,000 \times \dfrac{1}{10} = 600$

② 資本金 $18,000 \times \dfrac{1}{4} -$（資本準備金 $1,000 +$ 利益準備金 $3,000$）

　　$= 4,500 - 4,000 = 500$

　　∴ ①$600 >$②$500$

したがって、積立額は**500（千円）**となる。

よって、**ウ**が正解である。

第5問

減損損失に関する問題である。減損会計は次の手続きで行われる。

① 対象となる資産のグルーピングを行う（認識・測定する単位を定める）

② 減損の兆候の有無の把握

③ 減損損失の認識

④ 減損損失の測定

　本問で問われているのは「③減損損失の認識」である。減損損失は、減損の兆候があると判断された資産から生じる割引前将来キャッシュ・フローの総額が資産の帳簿価額を下回る場合に認識される。

＜減損損失の認識＞

　●固定資産X

　2,800（帳簿価額）＞ 2,400（割引前将来CF）

　※割引前将来CFが帳簿価額を下回るため、減損損失を認識する。

　●固定資産Y

　3,100（帳簿価額）＜ 3,300（割引前将来CF）

　※割引前将来CFが帳簿価額を上回るため、減損損失を認識しない。

　●固定資産Z

　4,500（帳簿価額）＞ 3,900（割引前将来CF）

　※割引前将来CFが帳簿価額を下回るため、減損損失を認識する。

　よって、**ウ**が正解である。

第6問

　吸収合併に関する問題である。吸収合併とは合併の一形態であり、吸収合併契約に基づき、株式等を対価として、合併後に存続する企業に対して、合併後に消滅する企業の権利義務の全てを承継させる行為をいう。

　吸収合併を行った場合、その経済的実態から原則として「取得（ある企業が他の企業または企業を構成する事業に対する支配を獲得して1つの報告単位となること）」とされ、パーチェス法により会計処理を行う。パーチェス法とは、被結合企業から受け入れる資産および負債の取得原価を、対価として交付する現金および株式等の時価とする会計処理法である。パーチェス法は、取得企業の観点から企業結合をみるものであり、受け入れた資産および引き受けた負債の公正な評価額と対価との差額は、のれんまたは負ののれんとして認識する。

　また、吸収合併の対価として吸収合併存続会社が新株を発行した場合、吸収合併消滅会社の取得原価は、株価に交付株式数を乗じた金額とする。なお、当該株価は、原則として企業結合日（合併期日）における株価を用いる。増加資本については、払込資本（資本金、資本準備金、またはその他資本剰余金）を増加させる（本問では、問

題指示より2分の1を資本金、残りを資本準備金とする）。

＜のれん＞
　●受け入れた資産（時価）
　　貸借対照表および問題本文で与えられている商品の時価より計算する。
　　諸資産：10,000（現金預金）＋35,000（売掛金）＋24,000（商品）＋40,000（建物）＝
　109,000千円
　●受け入れた負債
　　貸借対照表より読み取る。
　　諸負債：35,000千円（買掛金）
　●取得の対価
　　株価に交付株式数を乗じて計算する。
　　取得の対価：＠400円×200千株＝80,000千円
　●のれん
　　受け入れた資産および負債の純額である74,000千円（109,000－35,000）に対し、
　対価が80,000千円と上回っているため、その超過額6,000千円を「のれん」として
　処理する。

＜資本金＞
　増加資本に2分の1を乗じて計算する。
　資本金：$80,000 \times \dfrac{1}{2} = $ **40,000千円**
　なお、合併時の仕訳は次のとおりとなる（単位：千円）。

（借）諸　資　産	109,000	（貸）諸　負　債	35,000
の　れ　ん	6,000	資　本　金	40,000
		資本準備金	40,000

　よって、**イ**が正解である。

第7問

　リース取引の借手側の会計処理と開示に関する問題である。リース取引には、ファ
イナンス・リース取引とオペレーティング・リース取引がある。ファイナンス・リー
ス取引は、その経済的実態がリース物件の売買取引とみなすことができることから、
リース物件の法的所有権が借手側にないにもかかわらず、売買取引に準じた会計処理
が行われる。一方で、オペレーティング・リース取引については、通常の賃貸借取引

に係る方法に準じて会計処理を行う。

ア ○：正しい。選択肢のとおりである。

イ ○：正しい。原則として、オペレーティング・リース取引のうち解約不能のもの
に係る未経過リース料は、貸借対照表日後１年以内のリース期間に係るものと、貸
借対照表日後１年を超えるリース期間に係るものとに区分して注記する。

ウ ✕：リース債務は、**貸借対照表日後１年以内に支払期日が到来する部分をリース
債務（流動負債）に表示し、貸借対照表日後１年を超えて支払期日が到来する部分を
長期リース債務（固定負債）として表示する**ことになる。

エ ○：正しい。リース資産について、原則としてその内容（主な資産の種類等）お
よび減価償却方法を注記する。

よって、**ウ**が正解である。

第8問

無形固定資産の会計に関する問題である。無形固定資産は、法律上の権利（特許権、
実用新案権など）および経済上の価値（のれん）から構成される。

ア ✕：超過収益力を資産として計上したものが「のれん」であるが、超過収益力に
は、自己の活動から生じる「自己創設のれん（経営者の恣意的な判断に基づいて価
値を評価し表現したもの）」と他の企業から事業の全部または一部を有償で取得し
たことから生じる「有償取得のれん」が存在する。このうち、**自己創設のれんは、
恣意性の介入により資産として客観的な評価ができないため、貸借対照表への計上
が認められない**。一方で、有償取得のれんは、その取得の際に対価を支払うことか
ら恣意性を排除し客観的な評価ができるため、貸借対照表への計上が行われる。

イ ✕：研究および開発のために費消された**すべての原価は、通常、（資産計上され
ることなく）一般管理費として費消された会計期間において費用処理される。**

ウ ○：正しい。選択肢のとおりである。

エ ✕：資産計上されたのれんは、**20年以内のその効果が及ぶ期間にわたって、定
額法その他の合理的な方法により規則的に償却する。**

よって、**ウ**が正解である。

第9問

消費税に関する問題である。消費税とは、事業者が国内で行った課税資産の譲渡、
貸付および役務の提供を課税対象とする間接税であり、国税である消費税と地方消費
税の総称である。

消費税等は間接税であるため、担税者は一般消費者、納税義務者は事業者であり、

事業者は売上等に係る消費税等（預り分）から仕入等に係る消費税等（支払分）を控除して残額を納付するが、不足する場合には還付を受けることとなる。

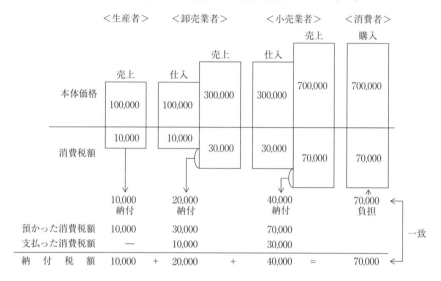

消費税の会計処理方法には、「税抜方式」と「税込方式」の2つが存在する。このうち、税抜方式とは、仕入等に係る消費税等を仮払消費税等で、販売等に係る消費税を仮受消費税等で処理し、課税期間に係る両者を相殺し、その差額を納付しまたは還付を受ける方式である。

仕訳例は次のとおりである。

(1) 課税仕入取引

（借）仕 入	×××	（貸）買 掛 金 等	×××
仮払消費税等	×××		

(2) 課税売上取引

（借）売 掛 金 等	×××	（貸）売 上	×××
		仮受消費税等	×××

(3) 決算時

① 仮受消費税等＞仮払消費税等の場合

（借）仮受消費税等	×××	（貸）仮払消費税等	×××
		未払消費税等	×××

② 仮受消費税等＜仮払消費税等の場合

（借）仮受消費税等	×××	（貸）仮払消費税等	×××
未収消費税等	×××		

本問では、(1)課税仕入取引が問われているため、仕訳は次のとおりである（単位：円）。

| （借）仕　　　入 | 18,000 | （貸）現　　　金 | 19,800 |
| 仮 払 消 費 税 | 1,800 | | |

よって、**ア**が正解である。

第10問

賃金消費額に関する問題である。直接工の賃金消費額は、作業時間の測定にもとづいて、消費賃率に実際作業時間を乗じて計算する。

	直接工の賃金消費額＝消費賃率 × 実際作業時間	
内訳	直接労務費	消費賃率 × 直接作業時間
	間接労務費	消費賃率 ×（間接作業時間＋手待時間）

直接工は、主として直接作業を行うが、一時的に材料の運搬などの間接作業などを行うこともある。直接工の賃金消費額のうち、直接作業分の賃金のみが直接労務費となり、その他の作業分の賃金は間接労務費となる。

直接労務費は次のとおり計算される。

＜消費賃率＞

　　直接工賃金予算額を予定就業時間で除して計算する。

　　消費賃率：14,400,000円÷12,000時間＝1,200円/時間

＜直接労務費＞

　　消費賃率に直接作業時間を乗じて計算する。

　　直接労務費：1,200円/時間×1,100時間＝**1,320,000円**

よって、**イ**が正解である。

第11問

経営分析に関する問題である。与えられた財務比率の計算方法は次のとおりである。

経 営 指 標	計 算 式
固定長期適合率	固定資産 ÷（自己資本＋固定負債）×100（％）
自己資本比率	自己資本 ÷ 総資本（総資産）×100（％）
自己資本利益率	当期純利益 ÷ 自己資本 ×100（％）
当座比率	当座資産 ÷ 流動負債 ×100（％）

上記より、各財務比率を計算すると次のとおりである。

経 営 指 標	計 算 式
固定長期適合率	(80,000 ＋ 60,000) ÷ (90,000※ ＋ 70,000)×100 ＝ 87.5%

自己資本比率	$90,000^{※} \div 200,000 \times 100 = 45\%$
自己資本利益率	$18,000 \div 90,000^{※} \times 100 = 20\%$
当座比率	$(25,000 + 22,000) \div 40,000 \times 100 = 117.5\%$

※自己資本：50,000（資本金）＋10,000（資本剰余金）＋30,000（利益剰余金）＝90,000

よって、**エ**が正解である。

第12問

経営分析に関する問題である。自己株式を取得し、消却した場合の財務比率への影響が問われている。

自己株式とは、会社が株式を発行した後に自社が発行した株式を取得した場合の当該株式をいう。自己株式を取得した場合には、取得原価をもって、純資産の部の株主資本から控除する形式で表示する。自己株式取得時の仕訳を示すと、次のとおりである。

（借）自己株式	×××	（貸）現金預金	×××

次に、自己株式の消却とは、自己株式の効力を絶対的に消滅させることをいう。自己株式を消却した場合には、消却手続きが完了したときに、消却の対象となった自己株式の帳簿価額をその他資本剰余金から減額する。

（借）その他資本剰余金	×××	（貸）自己株式	×××

この一連の取引を簡易的な貸借対照表を用いて例示すると次のとおりである。

貸借対照表　　　　　（単位：百万円）

資産の部		負債・純資産の部	
現金預金	40	資本金	20
		その他資本剰余金	20
資産合計	40	負債・純資産合計	40

① 自己株式を現金10で取得する。

（借）自己株式	10	（貸）現金預金	10

貸借対照表　　　　　（単位：百万円）

資産の部		負債・純資産の部	
現金預金	30	資本金	20
		その他資本剰余金	20
		自己株式	△10
資産合計	30	負債・純資産合計	30

② 自己株式を消却する。

（借）その他資本剰余金	10	（貸）自己株式	10

	貸借対照表		（単位：百万円）
資産の部		負債・純資産の部	
現金預金	30	資本金	20
		その他資本剰余金	10
資産合計	30	負債・純資産合計	30

以上より、変化する数値は、流動資産（当座資産）、自己資本、総資本（総資産）の額である。

a ✕：固定比率の計算要素をみていくと、固定資産（分子）は変わらないが、自己資本（分母）が減少する。したがって、固定比率の数値は大きくなる。これに対し、固定比率は数値が低いほうが良好であるため、**固定比率は悪化する**。

b ◯：正しい。自己資本利益率の計算要素をみていくと、当期純利益（分子）は変わらないが、自己資本（分母）が減少する。したがって、自己資本利益率の数値は大きくなる。これに対し、自己資本利益率は数値が大きいほうが良好であるため、自己資本利益率は向上する。

c ✕：総資本利益率の計算要素をみていくと、いずれの利益（分子）も変わらないが、総資本（分母）が減少する。したがって、総資本利益率の数値は大きくなる。これに対し、総資本利益率は数値が大きいほうが良好であるため、**総資本利益率は向上する**。

d ◯：正しい。流動比率の計算要素をみていくと、流動資産（分子）は減少するが、流動負債（分母）は変わらない。したがって、流動比率の数値は小さくなる。これに対し、流動比率は数値が大きいほうが良好であるため、流動比率は悪化する。

よって、選択肢**b**と**d**の組み合わせが正しく、**エ**が正解である。

第13問

キャッシュ・フロー計算書に関する問題である。キャッシュ・フロー計算書には、直接法によるキャッシュ・フロー計算書（財務諸表等規則様式第5号）と間接法によるキャッシュ・フロー計算書（財務諸表等規則様式第6号）とがある。

ア ✕：営業活動によるキャッシュ・フローの表示方法には、営業活動に係る主要な取引ごとにキャッシュ・フローを総額表示する方法（直接法）と、税引前当期純利益に調整項目を加減して、営業活動によるキャッシュ・フローを純額表示する方法（間接法）の2つがあり、継続適用を条件として選択適用が認められている。

イ ✕：受取利息及び受取配当金については、営業活動によるキャッシュ・フローの区分に表示する方法と、**投資活動によるキャッシュ・フローの区分に表示する方法**

解答・解説

2年度

169

がある。

ウ ○：正しい。キャッシュ・フロー計算書の現金及び現金同等物の範囲には、貸借対照表の現金及び預金のほかにコマーシャルペーパーや公社債投資信託など（短期性のものは通常有価証券に計上されている）が含まれているため、残高が一致するとは限らない。

エ ✕：法人税等は、それぞれの活動から生じる課税所得をもとに算定されるものであるため、理論的には、それぞれの活動区分に分けて記載すべきこととなる。しかし、それぞれの活動ごとに課税所得を分割することは、一般的には困難であると考えられるため、**営業活動によるキャッシュ・フローの区分に一括して記載する方法**が採用されている。

　　よって、**ウ**が正解である。

第14問

　　活動基準原価計算（ABC）に関する問題である。活動基準原価計算（ABC）とは、原価をその経済的資源（材料や労働力、機械設備など）を消費する活動ごとに集計し、その活動の利用度合いに応じて原価計算対象（製品）に割り当てる原価計算の方法をいう。

ア ✕：ABCは、**製造間接費**に焦点を当て、製造間接費を活動ごとに集計し、コスト・ドライバーによって直接に製品に跡づける方法をいう。

イ ✕：コスト・ドライバーは原価作用因ともいわれ、**原価を変化させる要因のこと**をいう。なお、活動とは、製品を生産するために必要な作業をいう。

ウ ✕：多品種少量生産化に伴い、製品の生産を支援する活動（製品の設計、材料などの購買、段取り、機械の保守、品質管理など）が重要になってきている。そして、これらの活動に要する原価が製造間接費を増加させている。そこで、製品の生産を支援する活動に着目し、この原価をいかに正確に製品に集計するかがABCの基本的な狙いである。

エ ○：正しい。選択肢のとおりである。

　　よって、**エ**が正しい。

第15問

　　オプションに関する問題である。オプション取引とは、「所定の期日（または期間）に、原資産（株式や通貨など）をあらかじめ定められた価格で買う（または売る）ことができる権利」を売買する取引をいう。通常、オプションを買う場合には、オプションの買い手が、オプションの売り手にオプションプレミアム（オプション料）を支

払う必要がある。

ア ✕：満期日に原資産を権利行使価格10,000円で買うことのできる権利（オプショ
ンプレミアムは500円とする）の損益図は次のとおりである（実線はオプションの
買い手、破線はオプションの売り手を表している）。

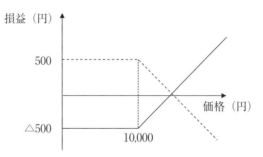

オプションの買い手側が権利行使をしなければ（権利を放棄すれば）、**オプション
の売り手側はオプションプレミアム分の500円だけ利益を得ることができる**。

イ ◯：正しい。オプション取引では「権利」を売買しているので、権利を購入した
側（買い手）にとって不利益になるような相場の変動があった場合には、買い手は
権利を放棄すれば、最初に支払ったオプション料以上の損失を被らなくて済む。

ウ ✕：オプションの種類には、コールオプション（権利行使価格で一定数の原資産
を買うことができる権利）とプットオプション（権利行使価格で一定数の原資産を
売ることができる権利）がある。そして、この権利を買うポジションと売るポジシ
ョンが存在する。したがって、**プットの買い、プットの売り、コールの買い、コー
ルの売りの4種類が存在する**。

エ ✕：先物は将来のある時点で原資産を現時点で決めた価格により売買するという
契約である。一方で、**オプションとは将来のある時点に、原資産をあらかじめ決め
た価格で売買する権利を取引することであり、先物とは区別される**。なお、先物の
オプションやスワップのオプションのように、デリバティブを複数組み合わせたも
のも存在する。

よって、**イ**が正解である。

第16問

金利に関する問題である。通常、金融機関に資金を預けると金利分の利息を受け取
るが、マイナス金利とは、資金を預けると金利分の利息を支払うというものである。
たとえば年利3％であれば、100円を預けると100×0.03＝3円分の利息が1年後に
つくことになるが、年利マイナス3％であれば、100円を預けると100×0.03＝3円分

の利息を支払うことになる。

2020年現在、日本銀行は、日銀当座預金を3段階の階層構造（基礎残高・マクロ加算残高・政策金利残高）に分解し、それぞれの階層に応じて、プラス金利、ゼロ金利、マイナス金利を適用している。

ア　○：正しい。選択肢のとおりである。

イ　○：正しい。消費者の預金などにマイナス金利を適用すると、金融機関に消費者からの資金が集まりにくくなり、銀行からの企業への貸付が減少するなどということが考えられる。そのため、マイナス金利は消費者の預金などには適用されず、市中銀行による日銀預け金に限定されている。

ウ　○：正しい。マイナス金利によって、一般の銀行は日本銀行当座預金に資金を預けておくより、企業に資金を貸し出した方が、収益性が向上する。よって、企業からみると資金調達がしやすくなると期待される。

エ　✕：マイナス金利による**インフレーション**に備えて、提供する財やサービスの価格の見直しが求められている。

よって、**エ**が正解である。

第17問

現価係数に関する問題である。複利現価係数とは、将来の一定時点のキャッシュフローをある率で現在価値に割り引くための係数をいい、年金現価係数とは、将来の一定期間にわたる毎期均等額のキャッシュフローをある率で現在価値に割り引くための係数をいう。

年金現価係数の計算は次のとおりである。

1年の年金現価係数：$\dfrac{1}{1+0.08} \fallingdotseq 0.9259$

2年の年金現価係数：$\dfrac{1}{1+0.08} + \dfrac{1}{(1+0.08)^2} \fallingdotseq 1.7833$

これに対して、2期末のキャッシュフローを現在価値にする複利現価係数は「$\dfrac{1}{(1+0.08)^2}$」で計算される。

したがって、「2年の年金現価係数 − 1年の年金現価係数 ＝

$(\dfrac{1}{1+0.08} + \dfrac{1}{(1+0.08)^2}) - \dfrac{1}{1+0.08} = \dfrac{1}{(1+0.08)^2}$（2期末のキャッシュフローを現在価値にする複利現価係数）」となる。

したがって、

2期末のキャッシュフローを現在価値にする複利現価係数：$1.7833 - 0.9259 =$ 0.8574

よって、**イ**が正解である。

第18問

超過収益率に関する問題である。

企業の投資にせよ、個人投資家の投資にせよ、それらは将来の見通しをもとに行われる。その意味で、証券価格を決定しているのは予想であるといえる。この予想は利用可能なさまざまな情報に基づいて形成されるので、証券価格は投資家により利用される情報によって決定されるといえる。

いったん発生した情報にコストがかからず、すべての投資家に伝達されるとすれば、証券価格は利用可能な情報を正確に反映することになる。このように予想形成において情報が有効に利用されることを（情報に関して）効率的であるという。そして、情報の効率性が満たされている市場、すなわち発生した証券価格の形成に有用な情報が速やかに、かつ、正確に価格に反映されるような市場を（情報に関して）効率的市場という。

効率的市場では、現在までに発生している情報がすべて価格に織り込まれている。新しい情報が発生すればそれを反映して瞬時に株価は変動する。そのため、株価の変動はランダム・ウォークに従うと考えられる。つまり、**リスクに見合ったリターンが与えられるように価格が形成されるのであり、逆に、リスクに見合った以上のリターンは期待できないことになる。**

これを表しているのが、アのグラフである。

よって、**ア**が正解である。

第19問

ポートフォリオの期待収益率に関する問題である。ポートフォリオのリターンは、E社株とF社株の期待値の加重平均を計算することで求めることができる。よって、E社株への投資比率は以下のとおり計算される（E社株への投資比率をxとする）。

$10 \times x + 18 \times (1 - x) = 16$

$10x + 18 - 18x = 16$

$-8x = -2$

$\therefore x = 0.25 (25\%)$

よって、**イ**が正解である。

第20問

割引債の複利最終利回りに関する問題である。割引債とは、満期までに利息の受取がなく、満期に額面金額（償還価額）を受け取る債券のことであり、ゼロクーポン債ともよばれる。満期までの期間をn年とすると、割引債の債権は以下の計算式で表す

ことができる。

$$割引債の価格 = \frac{満期における償還価格（額面）}{(1 + 金利)^n}$$

上記より、複利最終利回り（金利）をxとおくと次のとおり計算される。

$$100 = \frac{121}{(1 + x)^2}$$

$$(1 + x)^2 = 1.21$$

$$(1 + x) = 1.1$$

$$x = 0.1 (10.0\%)$$

よって、**ア**が正解である。

第21問

損益分岐点分析に関する問題である。前期と当期のデータが与えられており、これらを用いて損益分岐点売上高と損益分岐点比率を計算することになる。

設問1 ● ● ●

当期の損益分岐点売上高が問われている。損益分岐点売上高をSとする。

変動費率：960（変動費）÷ 2,400（売上高）= 0.4（40%）

固定費：1,200

損益分岐点売上高：S − 0.4S − 1,200 = 0　　∴S = **2,000万円**

よって、**ウ**が正解である。

設問2 ● ● ●

前期と当期の損益分岐点比率の比較とその増減の要因が問われている。

① 前期の損益分岐点比率

損益分岐点売上高をSとする。

変動費率：1,250（変動費）÷ 2,500（売上高）= 0.5（50%）

固定費：1,000

損益分岐点売上高：S − 0.5S − 1,000 = 0　　∴S = 2,000万円

となる。

これを「損益分岐点比率 = 損益分岐点売上高 ÷ 売上高 × 100」に代入すると、

損益分岐点比率：2,000 ÷ 2,500 × 100 = 80（%）となる。

② 当期の損益分岐点比率

（設問１）より、損益分岐点売上高は2,000万円であるから、

損益分岐点比率：2,000÷2,400×100＝83.33…≒83（％）　となる。

損益分岐点比率が高いか低いかにより、企業の収益獲得能力面での安全度が判断できる。損益分岐点は低ければ低いほど、企業はより少ない売上高で利益を得ることができる。つまり、損益分岐点比率が低いということは、その企業が売上高の減少というリスクに強いということである。

したがって、損益分岐点比率は前期80％から当期83％に上昇しているため、**損益分岐点比率は悪化している**。また、悪化した原因として、**売上の減少**があげられる。

なお、変動費率は50％から40％に低下している。したがって、**イ**の選択肢は外れる。

よって、**ア**が正解である。

第22問

資本資産評価モデル（CAPM）に関する問題である。

市場参加者が同質的な期待を持つと仮定した場合には、すべての投資家が安全証券と（危険証券の）**市場ポートフォリオ（空欄B）**を投資家ごとのリスク回避度に応じて適当に組み合わせたポートフォリオである**効率的ポートフォリオ（空欄C）**を保有する。すなわち、各投資家が保有するポートフォリオは安全証券と市場ポートフォリオを結んだ直線上に位置する。この直線のことを**資本市場線（空欄A）**とよぶ。

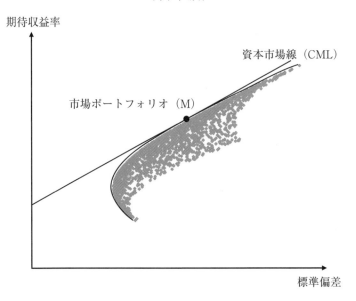

資本市場線

期待収益率

資本市場線（CML）

市場ポートフォリオ（M）

標準偏差

　資本市場線は効率的ポートフォリオにおけるリターンとリスクの関係が期待収益率と標準偏差によって表されているが、効率的フロンティア上にないポートフォリオや個別証券についてこの関係は成立しない。そこで、個別証券（または個別ポートフォリオ）についてリターンとリスクの関係式を求めたのが資本資産評価モデル（CAPM）であり、次のことを示している。
① 　個別証券の期待リターンはリスクフリーレートに個別証券のリスクの大きさに比例するリスクプレミアムを加えたものである。
② 　個別証券のリスクの大きさはベータで表すことができ、個別証券の期待リターンについてのリスクプレミアムは、市場リスクプレミアムのベータ倍になる。
　　以上の関係について、横軸にベータ、縦軸に期待収益率を取って図示したものが**証券市場線（空欄D）**である。

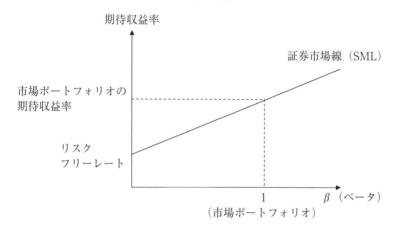

証券市場線

期待収益率

証券市場線（SML）

市場ポートフォリオの
期待収益率

リスク
フリーレート

1　　　β（ベータ）
（市場ポートフォリオ）

　よって、A：資本市場線、B：市場ポートフォリオ、C：効率的ポートフォリオ、D：証券市場線の組み合わせが正しく、**イ**が正解である。

第23問

　税引後キャッシュフローに関する問題である。設備投資をすれば、売上増加あるいは原価削減などの効果が得られる。それによって生ずるCIFおよびCOFを計上する。さらに、減価償却費の増加による法人税節税額（タックスシールド）を計上する。タックスシールドとは、設備投資に伴う減価償却費の増加が、会計上の利益を減少させ、それに対応する分だけの法人税の節約をもたらす効果のことである。よって、「税率×減価償却費」をCFの計算上加算するという処理を行う。

【経済的効果（税引後CF）の算式（税金あり）】
経済的効果＝（1−税率）×（CIF−COF）＋税率×減価償却費

　上記計算式より、税引後CFを計算する。
CIF−COF（税引前CF）：900
減価償却費：（1,500−0）÷3＝500
税引後CF：900×（1−0.3）＋500×0.3＝**780万円**
よって、**エ**が正解である。

モジリアーニとミラーの理論（MM理論）に関する問題である。法人税が存在しない市場では、企業価値はその資本構成に依存しない。

ア ✕：負債で資金調達した場合、株主にとって財務リスクが高まり、そのリスクに対応するプレミアムを追加的に要求するため、自己資本コストは高くなる。また、ゼロ成長配当割引モデルを前提とすると自己資本コストは、PERと逆数の関係にある。したがって、無借金のほうが負債で資金調達した場合より自己資本コストは低いため、**PERは大きくなる。**

【補足】ゼロ成長配当割引モデルを前提とした自己資本コストとPERの関係

＜ゼロ成長配当割引モデルによる株価＞

$$株価 = \frac{配当}{自己資本コスト} \cdots ①$$

＜PER（株価収益率）＞

$$PER = \frac{株価}{当期純利益} \cdots ②$$

上記②式に①式を代入する。

$$PER = \frac{1}{当期純利益} \times \frac{配当}{自己資本コスト}$$

ゼロ成長配当割引モデルでは、当期純利益＝配当のため、下記が導かれる。

$$PER = \frac{1}{自己資本コスト}$$

イ ✕：法人税が存在しない市場では、**企業価値はその資本構成に依存しない。**

ウ ✕：企業の市場価値は、当該企業の期待収益率でキャッシュフローを資本化することによって得られるが、資本構成の変化は資産のキャッシュフローに影響を与えない。よって、**企業価値と資本構成は独立である（影響を与えない）。**

エ ○：正しい。資本構成を変えても、資産のキャッシュフローに変化はない。したがって、企業価値は変わらず、会社の資本コスト、つまり負債コストと株主資本コストを加重平均した加重平均資本コスト（WACC）も変わらない。どのような資本構成（資金調達方法）にしても、会社の資本コストは変わらないため、投資のための切捨率（ハードルレート）は資金調達方法にかかわりなく、一意に決定される。よって、**エが正解である。**

参考資料 出題傾向分析表

		R2	R3
第1章	財務・会計とは		
第2章	財務諸表の基本		
	貸借対照表（B/S）	有価証券の期末評価（貸借対照表価額）**3**	
	損益計算書（P/L）		
	株主資本等変動計算書		
	キャッシュフロー計算書		
第3章	経営分析の基本		
	収益性分析	自己資本利益率**11 12** 総資本利益率**12**	
	効率性分析 （回転率、回転期間）		
	安全性（流動性）分析	固定長期適合率**11** 自己資本比率**11** 当座比率**11** 固定比率**12** 流動比率**12**	固定長期適合率**10** インタレスト・カバレッジ・レシオ**10**
	生産性分析		
	キャッシュフロー計算書分析		
第4章	CVP分析	損益分岐点売上高**21** 損益分岐点比率**21**	損益分岐点売上高**12** 目標売上高**12** 損益分岐点比率**12** 安全余裕率**12**
	利益差異分析		売上高差異分析 **8**
	セグメント別損益計算		
	差額原価収益分析		
第5章	意思決定会計	現価係数**17**	
	設備投資の経済性計算	税引後キャッシュフロー**23**	税引後キャッシュフロー**18** 正味現在価値法**19** 収益性指数法**19**
	不確実性下の意思決定		

※出題領域の区分は、弊社「2025年度版 最速合格のためのスピードテキスト」に準拠したものです。
※表中の項目名とともに付されている白抜き数字は、本試験における問題番号となります。

R4	R5	R6
財政状態 2		
	計算書類 5	
預り金 8	貸借対照表の表示 8	金銭債権・金銭債務 2 金融商品 3 商品 6
外貨建取引 4 自己株式 10		
	ROE 14	
	財務諸表および財務比率への影響 12	財務諸表および財務指標への影響 11
	付加価値率 12 労働生産性 12 設備生産性 12 労働装備率 12	
営業利益の計算 12 損益分岐点売上高 12		損益分岐点売上高 12 目標利益を達成する販売量 12
投資の評価基準 21	特殊原価 16 内部収益率 17	正味現在価値法 17 内部収益率法 17 特殊原価 18
リスクがある場合の割引現在価格 22		

		R2	R3
第6章	企業財務論の基礎		
	株価と債券価格の計算	複利計算[20]	配当割引モデル[21]
	DCF法などによる企業価値の算定		加重平均資本コスト[15] 企業価値評価[22]
	最適資本構成	MM理論[24]	資金調達[14] MM理論[17]
	配当政策		株主還元[16]
第7章	個別証券のリターンとリスク	効率的市場仮説[18] 期待値[19]	
	ポートフォリオのリターンとリスク		
	共分散と相関係数		
	CAPM	CAPM[22]	効率的フロンティア[20]
	デリバティブ	オプション[15]	オプション[23]
第8章	財務諸表の概観		
	取引と仕訳		
	転記		
	試算表		
	期中取引		商品販売[1]
	決算整理	売上原価の計算[1] 貸倒引当金[2]	負債性引当金[5]
	繰延資産		
	精算表		
	特殊論点		
第9章	キャッシュフロー計算書の具体例		最低限必要な借入金[13]
	直接法によるキャッシュフロー計算書の作成		
	間接法によるキャッシュフロー計算書の作成		キャッシュフローが増加する原因[9]
第10章	原価計算制度の基礎		
	原価計算制度		個別原価計算[7]

※出題領域の区分は、弊社「2025年度版　最速合格のためのスピードテキスト」に準拠したものです。
※表中の項目名とともに付されている白抜き数字は、本試験における問題番号となります。

R4	R5	R6
貸付金[14] 配当[23]	1株当たり配当[14] 配当性向[14]	1株当たり配当[15] 配当性向[15][21] サステナブル成長率[21]
株式評価[19]	株主価値[20]	フリー・キャッシュフローの現在価値[22] 価値評価[23]
	財務レバレッジ[15] MM理論[15]	資金調達[13]
	効率的市場仮説[19]	リスク中立的投資家[20]
ポートフォリオ選択[16]	ポートフォリオ理論[18]	
ポートフォリオの標準偏差[15]		
ポートフォリオ選択[16]	市場リスク[22]	リスクプレミアム[14][19] ポートフォリオ[19]
先物・先渡取引[20]	為替予約[23]	通貨オプション[24]
取得原価（減価償却の計算）[11]	売上原価[1] 減価償却費[3]	経過勘定項目[2] 貸倒引当金[1][6]
資金繰り表[13]		
		投資活動・財務活動によるキャッシュ・フロー[11]
	キャッシュフロー計算書に関する記述[9]	営業活動によるキャッシュ・フローの計算[7]
非原価項目[6]		法定福利費[5]
	総合原価計算[10]	個別原価計算[10]

		R2	R3
第11章	会計原則		収益 **6** サービス業**11**
	固定資産の減損に係る会計基準	減損損失の認識 **5**	
	純資産会計	準備金の積立額 **4**	
	リース取引に関する会計基準	リース取引の借手側の会計処理と開示 **7**	
	税効果会計に係る会計基準		
	連結キャッシュフロー計算書等の作成基準	キャッシュフローの表示**13**	
	連結財務諸表に関する会計基準	のれん **6** **8**	のれん **4**
	資産除去債務		
その他	その他	消費税 **9** 賃金消費額（直接労務費）**10** 活動基準原価計算**14** 金利**16**	本店集中計算制度 **2** 固定資産除却損 **3**

※出題領域の区分は、弊社「2025年度版　最速合格のためのスピードテキスト」に準拠したものです。
※表中の項目名とともに付されている白抜き数字は、本試験における問題番号となります。

R4	R5	R6
収益認識 **3**		
無形固定資産の減損 **5**		
	剰余金の配当と処分 **7**	資本金の額等 **4**
繰越欠損金の税効果会計 **7**	法人税（税効果会計） **6**	繰延税金資産 **6**
	キャッシュフロー計算書に関する記述 **9**	
のれん **5**	連結会計 **4**	
		資産除去債務 **6**
銀行勘定調整表 **1** 退職給付会計 **9** サステナブル成長率**17** 割引超過利益モデル**18**	収益の認識基準 **2** キャッシュ・コンバージョン・サイクル**13** サステナブル成長率**21**	収益認識の基準 **1** 中小企業の会計に関する指針 **8** 法人税 **9** 株式分割**16**

ちゅうしょうき ぎょうしんだんし ねんどばん
中小企業診断士　2025年度版

さいそくごうかく だい じ し けんか こ もんだいしゅう ざい む かいけい
最速合格のための第1次試験過去問題集　[2]　財務・会計

（2005年度版　2005年3月15日　初版　第1刷発行）
2024年12月2日　初　版　第1刷発行

編 著 者　　Ｔ Ａ Ｃ 株 式 会 社
　　　　　　　　　（中小企業診断士講座）
発 行 者　　多　　田　　敏　　男
発 行 所　　ＴＡＣ株式会社　出版事業部
　　　　　　　　　　　　　　　（TAC出版）

〒101-8383
東京都千代田区神田三崎町3-2-18
電話　03（5276）9492（営業）
FAX　03（5276）9674
https://shuppan.tac-school.co.jp

印　　刷　　株式会社　ワ　コ　ー
製　　本　　株式会社　常　川　製　本

© TAC 2024　　　Printed in Japan

ISBN 978-4-300-11416-2
N.D.C. 335

サポートサービスを活用しよう!

モチベーションを高める
(将来の選択肢 〜合格者のその後〜)

将来、中小企業診断士に合格して何ができるのか?合格者のその後を取材した記事を読んで合格後の夢を広げてモチベーションを高めましょう!

TAC 診断士とは

https://www.tac-school.co.jp/kouza_chusho/chusho_sk_idx.html

TACのYoutube動画
(得する情報を提供中)

TACでは、Youtubeでも学習法や試験解説、実務家インタビュー等の動画を配信しています。是非、チャンネル登録してチェックしてみてください。

TAC 診断士 youtube

https://www.youtube.com/@tac3644/videos

TAC中小企業診断士講座「第1回目講義」オンライン無料体験!
各コースの「第1回目」の講義が体験できます!

「体験Web受講」では、既にご入会されている受講生と同じWeb学習環境(TAC WEB SCHOOL)にて講義をご視聴いただけます。サンプルテキストを用意していますので、講義とあわせて教材の内容も確認してみてください。

独学では理解しづらかったり時間がかかる内容もポイントを押さえてスムーズに理解できるから短期合格できる

TAC 診断士 体験

https://www.tac-school.co.jp/kouza_chusho/web_taiken_form.html

中小企業診断士講座のご案内

ストレート合格を目指す!
TACを選ぶメリット。それは"効率性"!

学習効果が高まるよう編成された質の高いカリキュラム・講師・教材で構成されるTACのコースを受講することで、無理なく実力をつけることができ、効率的に1・2次試験のストレート合格を狙えます。

戦略的カリキュラム
INPUT&OUTPUTの連動・繰返し学習が効果的!
ムリ・ムダを省いた必要十分な学習量!

専門校を利用するメリット!

2次試験合格の秘訣
スケールメリットが合格の可能性を高める!
新作演習問題・添削指導も充実!

充実のフォロー体制
安心して学習できる環境を整備!
学習メディア別に充実したサポート!

全科目のINPUT(知識習得)とOUTPUT(問題演習)を組み合わせたオールインワンコース「1・2次ストレート本科生」「1・2次速修本科生」を開講しています。

2025年合格目標コース ～豊富なコース設定で効率学習をサポート～

		2024年 9月	10月	11月	12月	2025年 1月	2月	3月	4月	5月	6月	7月	8月	9月	10月	11月
初学者		1・2次ストレート本科生 ※1次試験までの1次本科生有											第1次試験			第2次試験
				1・2次速修本科生 ※1次試験までの1次速修本科生有												
経験者			1・2次上級本科生													
				2次本科生A・B												
						2次演習本科生A・B										

◆ 2次実力チェック模試 　　　3/1～案内開始→　　●5/4(日)予定
◆ 1次公開模試 　　　5/中～案内開始→　　●6/28(土)・29(日)予定
◆ 2次公開模試 　　　7/上～案内開始→　　●9/7(日)予定

※模試の会場受験にはお席に制限がございます。2次公開模試の会場受験は本科生のみとなり、単科での申込は自宅受験となります。

≪オプション講座≫ ※名称は変更となる場合がございます。日程は予定です。
- 1次重要過去問チェックゼミ(経営・財務・運営・経済)・・・▶3/中旬案内開始
- 1次「財務・会計」特訓ゼミ・・・・・・・・・・・・・▶3/中旬案内開始
- 1次「経済学」解法テクニックゼミ・・・・・・・・・▶3/中旬案内開始
- 2次事例Ⅳ特訓・・・・・・・・・▶8/上旬案内開始
- 2次事例別過去問対策講義・・・・▶8/上旬案内開始

※詳細は、案内開始時期にTACホームページおよび資料をご請求ください。

TAC中小企業診断士パンフレット

- 戦略的カリキュラム
- 学習メディア・フォロー制度
- 開講コース・受講料
- 無料体験入学のご案内

　　　　　　　　など

資格&試験ガイド

- 中小企業診断士の魅了
- 実務家インタビュー
- 試験ガイド
- 学習プラン

　　　　など

祝賀会・東京会場

TAC合格者の声

長山 萌音さん

表面的な理解ではなく、根本から理解をすることができた

「財務・会計」が苦手で1年目に独学で勉強していた際には理解しないまま試験を受けておりました。そこでTACに通学し、わからない箇所を講師の方に聞くことで、表面的な理解ではなく、根本から理解をすることができました。また、講義の中で効率的な勉強方法をご教示いただき、勉強への取り組み方を身につけることができました。TACを選んだ理由は、①生徒数が多く、合格ノウハウが集まっている、②一次試験から二次口述試験までのカリキュラムが組まれているため、試験ごとの情報収集や模試の検討などの手間が省けると感じたからです。

中尾 文哉さん

TACを活用し本来行うべき学習に集中して労力を割く

学習開始が12月上旬だったため、1,000時間の逆算が成り立たず、合格の為に効率を求めたこと、初回の受験で全体像を把握しながら学習ができるガイドラインや合格の為のノウハウを徹底的に仕入れたかったため、TACのWeb通信講座を受講しました。講義動画がリリースされるタイミングや、各科目のまとめテストの「養成答練」の提出期限も含め、すべてTACのノウハウに基づいてスケジュール化されています。その為、進度管理には労力をかけず、TACが敷いてくれた時間軸のレールの上で本来行うべき学習に集中して労力を割くことができました。

中小企業診断士講座のご案内

学習したい科目のみのお申込みができる、学習経験者向けカリキュラム
1次上級単科生（応用＋直前編）

- □ 必ず押さえておきたい論点や合否の分かれ目となる論点をピックアップ！
- □ 実際に問題を解きながら、解法テクニックを身につける！
- □ 習得した解法テクニックを実践する答案練習！

カリキュラム ※講義の回数は科目により異なります。

| ◀── 1次応用編 2024年10月〜2025年4月 ──▶ | ◀── 1次直前編 2025年5月〜 ──▶ | 1次試験［2025年8月］ |

1次上級講義
［財務5回／経済5回／中小3回／その他科目各4回］

講義140分/回

過去の試験傾向を分析し、頻出論点や重要論点を取り上げ、実際に問題を解きながら知識の再確認をするとともに、解法テクニックも身につけていきます。

［使用教材］
1次上級テキスト
（上・下巻）
（デジタル教材付）

➡INPUT⬅

1次上級答練
［各科目1回］

答練60分＋解説80分

1次上級講義で学んだ知識を確認・整理し、習得した解法テクニックを実践する答案練習です。

［使用教材］
1次上級答練

⬅OUTPUT➡

1次完成答練
［各科目2回］

答練60分＋解説80分/回

重要論点を網羅した、TAC厳選の本試験予想問題による答案練習です。

［使用教材］
1次完成答練

⬅OUTPUT➡

1次最終講義
［各科目1回］

講義140分/回

1次対策の最後の総まとめです。法改正などのトピックを交えた最新情報をお伝えします。

［使用教材］
1次最終講義レジュメ

➡INPUT⬅

1次養成答練 ［各科目1回］ ※講義回数には含まず。
基礎知識の確認を図るための1次試験対策の答案練習です。

（配布のみ・解説講義なし・採点あり）

⬅OUTPUT➡

さらに！ 「1次基本単科生」の教材付き！（配付のみ・解説講義なし）
◇基本テキスト（デジタル教材付）　◇講義サポートレジュメ　◇1次養成答練　◇トレーニング　◇1次過去問題集

開講予定月

◎企業経営理論／10月　　◎財務・会計／10月　　◎運営管理／10月　　◎経済学・経済政策／10月
◎経営情報システム／10月　　◎経営法務／11月　　◎中小企業経営・政策／11月

学習メディア

🖋 教室講座　　📺 ビデオブース講座　　🖥 Web通信講座

1科目から申込できます！　※詳細はホームページまたは資料をご請求ください。（右上参照）

本試験を体感できる!実力がわかる!

2025(令和7)年合格目標 公開模試

受験者数の多さが信頼の証。全国最大級の公開模試!

中小企業診断士試験、特に2次試験においては、自分の実力が全体の中で相対的にどの位置にあるのかを把握することが非常に大切です。独学や規模の小さい受験指導校では把握することが非常に困難ですが、TACは違います。規模が大きいTACだからこそ得られる成績結果は極めて信頼性が高く、自分の実力を相対的に把握することができます。

1次公開模試
2024年度受験者数
2,504名

2次公開模試
2024年度受験者数
1,708名

TACだから得られるスケールメリット!

規模が大きいから正確な順位を把握し
効率的な学習ができる!

TACの成績は全国19の直営校舎にて講座を展開し、多くの方々に選ばれていますので、受験生全体の成績に近似しており、**本試験に近い成績・順位を把握**することができます。
さらに、他のライバルたちに差をつけられている、自分にとって本当に克服しなければいけない**苦手分野を自覚することができ**、より効率的かつ効果的な学習計画を立てられます。

はたして今の成績は
良いの?悪いの?

規模の小さい受験指導校で
得られる成績・順位よりも…

この母集団で
今の成績なら大丈夫!

**規模の大きいTACなら、
本試験に近い成績が分かる!**

実施予定

1次公開模試:2025年6/28(土)・29(日)実施予定
2次公開模試:2025年9/7(日)実施予定

詳しくは公開模試パンフレットまたはTACホームページをご覧ください。

1次公開模試:2025年5月上旬完成予定　2次公開模試:2025年7月上旬完成予定

https://www.tac-school.co.jp/ TAC 診断士 検索

TAC出版 書籍のご案内

TAC出版では、資格の学校TAC各講座の定評ある執筆陣による資格試験の参考書をはじめ、資格取得者の開業法や仕事術、実務書、ビジネス書、一般書などを発行しています！

TAC出版の書籍

*一部書籍は、早稲田経営出版のブランドにて刊行しております。

資格・検定試験の受験対策書籍

- ✪日商簿記検定
- ✪建設業経理士
- ✪全経簿記上級
- ✪税　理　士
- ✪公認会計士
- ✪社会保険労務士
- ✪中小企業診断士
- ✪証券アナリスト

- ✪ファイナンシャルプランナー(FP)
- ✪証券外務員
- ✪貸金業務取扱主任者
- ✪不動産鑑定士
- ✪宅地建物取引士
- ✪賃貸不動産経営管理士
- ✪マンション管理士
- ✪管理業務主任者

- ✪司法書士
- ✪行政書士
- ✪司法試験
- ✪弁理士
- ✪公務員試験(大卒程度・高卒者)
- ✪情報処理試験
- ✪介護福祉士
- ✪ケアマネジャー
- ✪電験三種　ほか

実務書・ビジネス書

- ✪会計実務、税法、税務、経理
- ✪総務、労務、人事
- ✪ビジネススキル、マナー、就職、自己啓発
- ✪資格取得者の開業法、仕事術、営業術

一般書・エンタメ書

- ✪ファッション
- ✪エッセイ、レシピ
- ✪スポーツ
- ✪旅行ガイド (おとな旅プレミアム/旅コン)